하루 한 장 60일 집중 완성

교과도형

7세 ~ 초1

P3

비교하기

히어로컨텐츠 HEROCONTENS

발행일: 2022년 3월 **발행인**: 이예찬

기획개발: 두줄수학연구소

디자인: 4BD STUDIO **삽화**: 1000DAY

발행처: 히어로컨텐츠

주소: 서울특별시 금천구 서부샛길 632, 7층(대륭테크노타운5차)

전화: 02-862-2220 **팩스**: 02-862-2227

지원카페: cafe.naver.com/eduherocafe **인스타그램**: @edu_ _hero

하루 한 장 60일 집중 완성 교과도형은

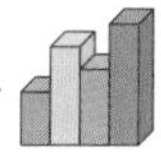

달라진 교과서와 학교 수업 진도에 맞추어 학습자가 체계적으로 도형을 학습할 수 있도록 안내합니다.

이전의 도형 학습이 도형의 정의와 성질을 외우고, 도형의 측정결과를 계산하는 '결과' 중심의 학습이었다면 지금의 도형 학습은 공간에 대한 이해와 해석(공간감각)을 바탕으로 모양을 인식하고 변화를 유추하고 다양한 방법으로 도형을 측정하고 그 결과를 표현하는 '과정' 중심의 학습입니다.

교과도형은 수학교육의 변화와 핵심을 이해하고 올바른 방향을 제시해 주는 든든한 길잡이가 될 것입니다.

하루 한 장 60일 집중 완성 교과도형은

① 공간감각 ② 도형표현 ③ 도형측정을 중심으로 교과서에서 다루는 모든 도형을 체계적으로 학습합니다.

공간감각

도형을 효과적으로 학습하기 위해서는 공간을 이해하고 해석하는 능력, 즉 '공간감각'이 필요합니다.

공간감각은 경험과 상상력을 바탕으로 머릿속에서 도형을 조작하고 결과를 유추하는 능력입니다. 공간감각은 단시간에 길러지지 않으므로 어릴 때부터 꾸준하게 학습하고 구체적인 경험을 쌓는 것이 중요합니다.

'교과도형'의 각 권 마지막에 있는 '도형플러스'는 각 권의 학습목표와 연계하여 공간감각을 한 단계 더 높여줄 수 있는 내용으로 구성하였습니다.

도형표현

공간에 존재하는 도형은 표현되었을 때 더 큰 의미를 가집니다.

• 삼각형을 찾는 것에서 그치지 않고 다양한 삼각형을 직접 그려 보고 왜 삼각형인지 설명하는 것
• 쌓기나무로 만든 모양을 위치와 방향을 이용하여 설명하는 것
• 도형을 여러 가지 기준과 특징에 따라 분류하고 왜 그렇게 분류했는지 설명하는 것
• 도형을 위·앞·옆에서 바라보고 그 모습을 그림으로 표현하는 것 등이 모두 '도형표현'입니다.

'교과도형'은 도형과 관련한 작은 그림에서부터 서술형 문장제까지 도형을 표현하는 다양한 방법을 효과적으로 학습합니다.

도형측정

측정은 도형과 아주 밀접한 관계가 있으므로 도형을 학습하면서 반드시 함께 다루어야 하는 영역입니다.

길이, 각도, 둘레, 넓이, 부피 등 흔히 '도형' 영역이라 생각하는 것이 사실 초등 교육과정에서는 '측정' 영역에 해당합니다. 사각형을 학습하는 것은 도형이지만 사각형의 둘레와 넓이를 구하는 것은 측정입니다. 각의 종류를 학습하는 것은 도형이지만 각도를 재는 것은 측정입니다. 이처럼 길이, 각도, 둘레, 넓이, 부피 등은 결국 도형을 측정하는 것입니다.

'교과도형'은 교과서의 모든 '도형' 영역을 다루었습니다. 여기에 도형과 반드시 연계하여 학습해야 하는 '측정' 영역을 추가로 다루어 더욱 완성된 도형 학습을 할 수 있도록 도와줍니다.

하루 한 장 60일 집중 완성 교과도형은

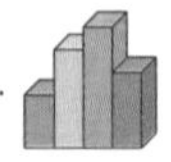

7세부터 6학년까지 총 7단계 21권(단계별 3권)으로 구성되어 있으며 각 권은 매일 한 장씩 4주간 체계적으로 학습할 수 있습니다.

1권, 20일

2권, 20일

3권, 20일

대 상	단 계	구 성
7세 ~ 1학년	P	P1, P2, P3
1학년	A	A1, A2, A3
2학년	B	B1, B2, B3
3학년	C	C1, C2, C3
4학년	D	D1, D2, D3
5학년	E	E1, E2, E3
6학년	F	F1, F2, F3

교과도형의 각 단계는 1, 2, 3권을 차례대로 학습합니다.

교과도형, 한 권이면 충분합니다

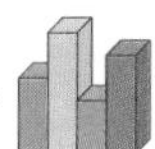

교과도형은 공간감각, 도형표현, 도형측정을 중심으로 교과서에서 다루는 모든 도형을 학습하고,
공간감각 향상을 위한 '도형플러스'와 학습 결과를 확인하는 '형성평가'를 제공합니다.

1 주차별 학습

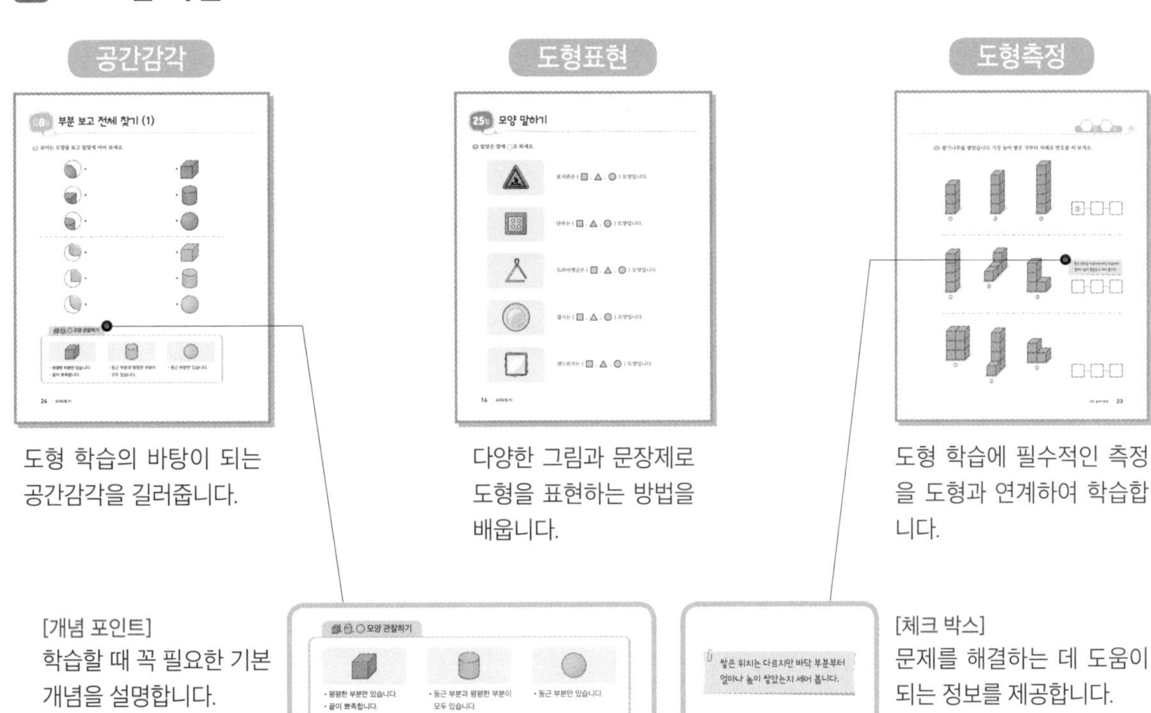

도형 학습의 바탕이 되는 공간감각을 길러줍니다.

다양한 그림과 문장제로 도형을 표현하는 방법을 배웁니다.

도형 학습에 필수적인 측정을 도형과 연계하여 학습합니다.

[개념 포인트]
학습할 때 꼭 필요한 기본 개념을 설명합니다.

[체크 박스]
문제를 해결하는 데 도움이 되는 정보를 제공합니다.

2 도형플러스

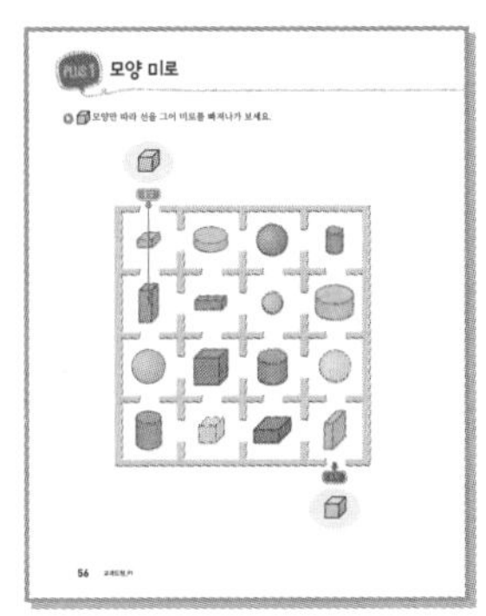

각 권의 학습 주제와 연계하여 공간감각을 더욱 향상시킵니다.

3 형성평가

학습한 내용을 다시 한 번 복습하고 정리합니다.

이 책의 차례

1주차
41~45일

길이 비교

41일 길고 짧은 것

1 더 긴 것에 ◯표 하세요.

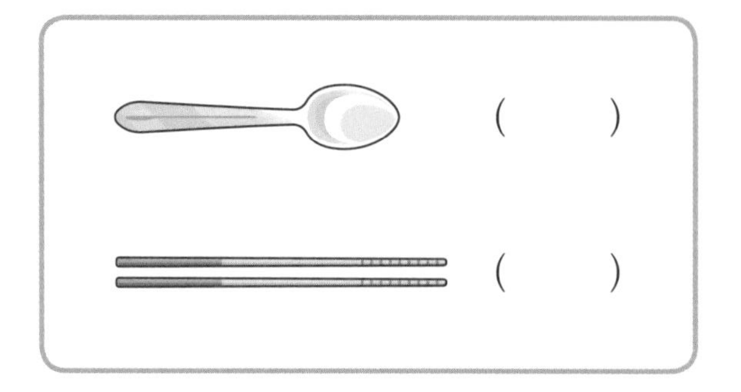

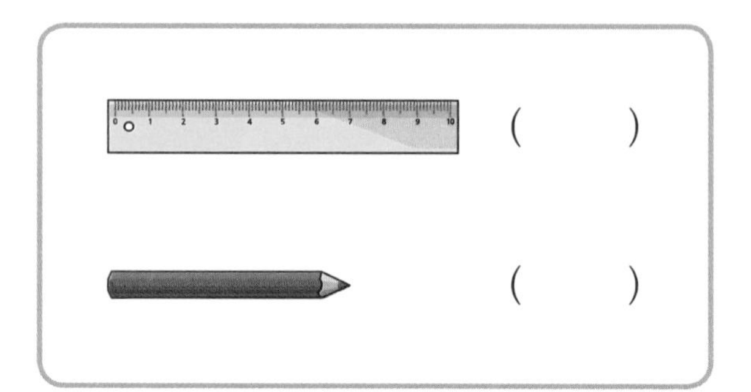

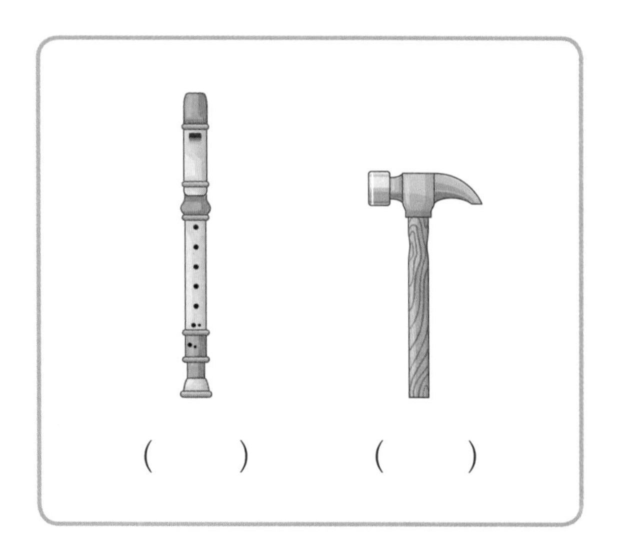

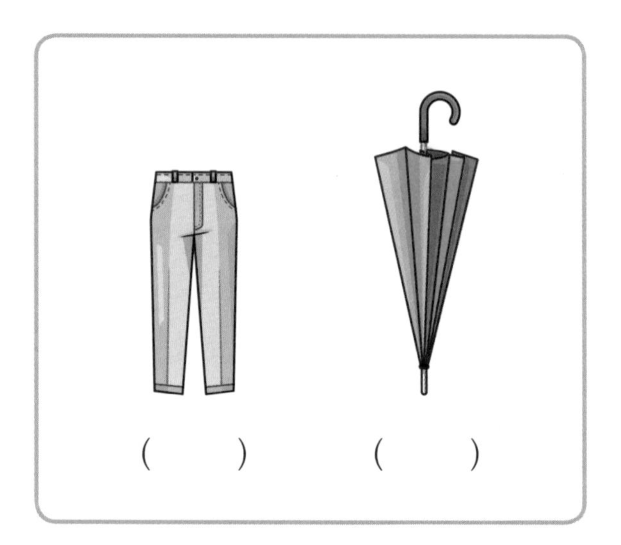

더 깁니다, 더 짧습니다.

길이를 비교할 때는 한쪽 끝을 맞추어 맞댑니다.

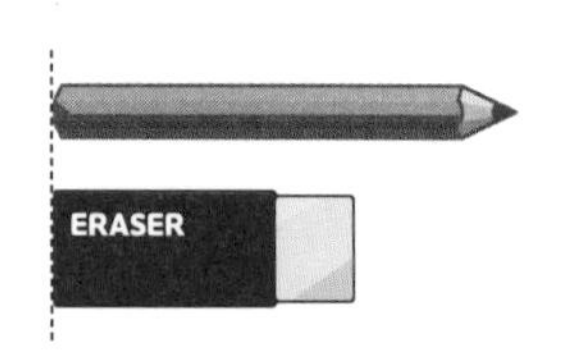

연필은 지우개보다 더 깁니다.
지우개는 연필보다 더 짧습니다.

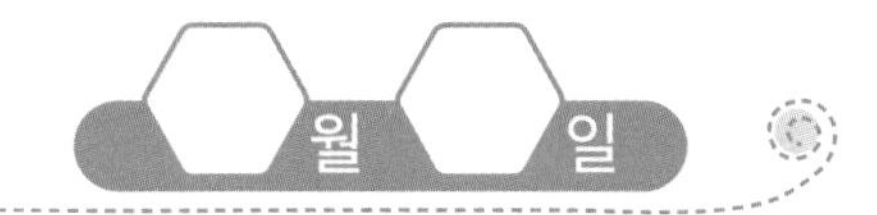

더 짧은 막대에 색칠해 보세요.

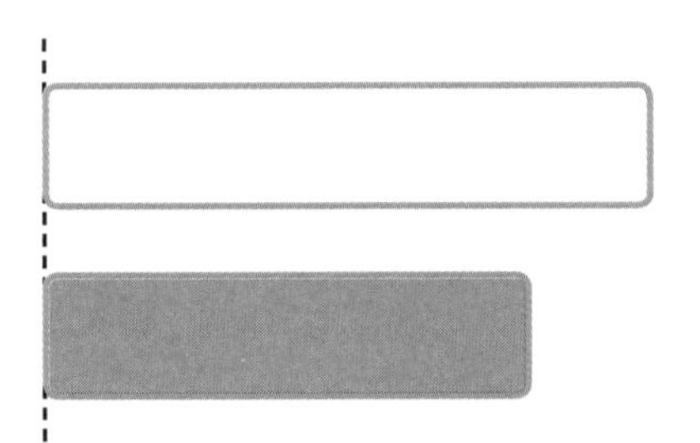

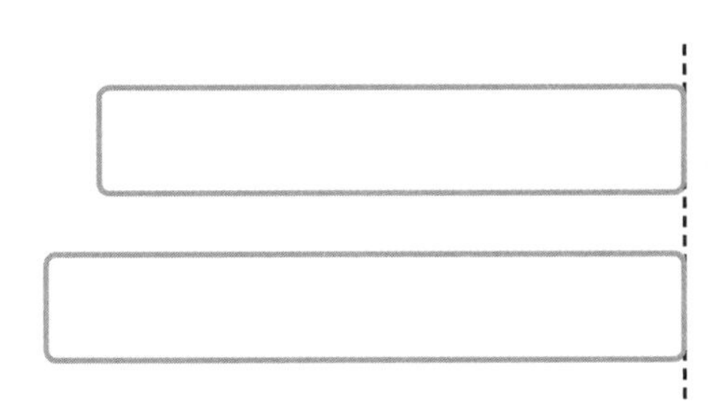

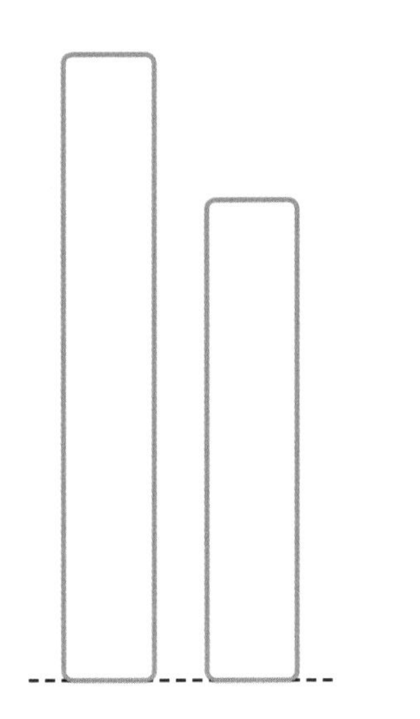

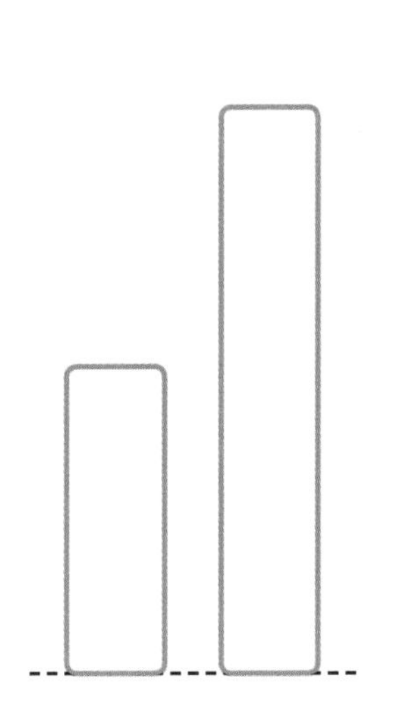

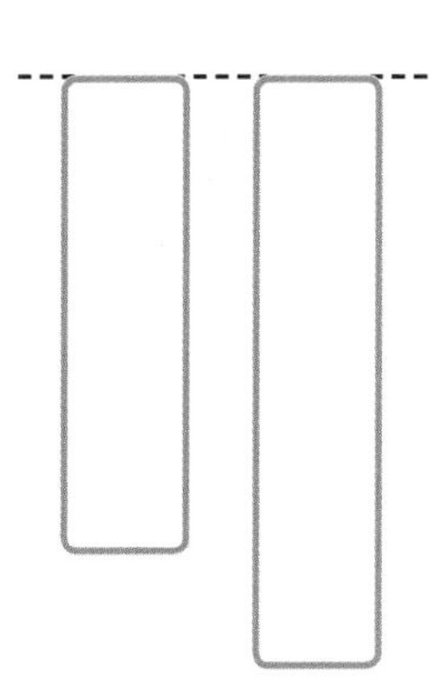

42일 가장 긴 것

1 가장 긴 것에 ○표, 가장 짧은 것에 △표 하세요.

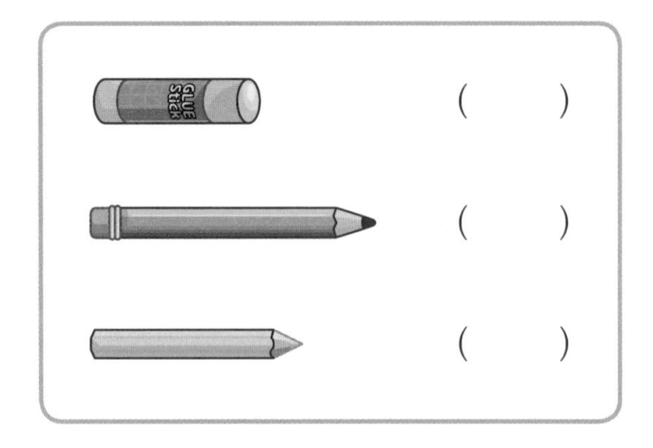

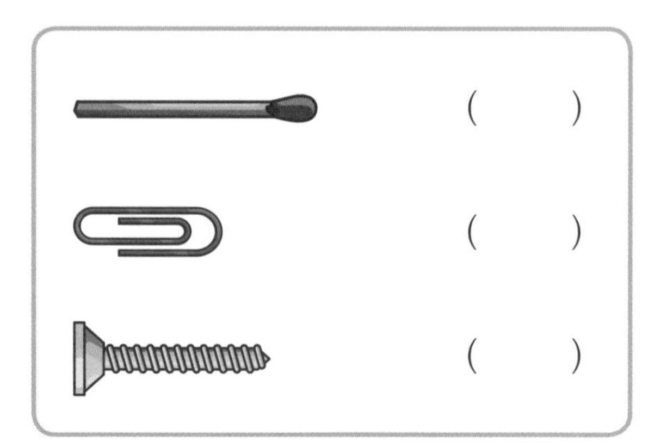

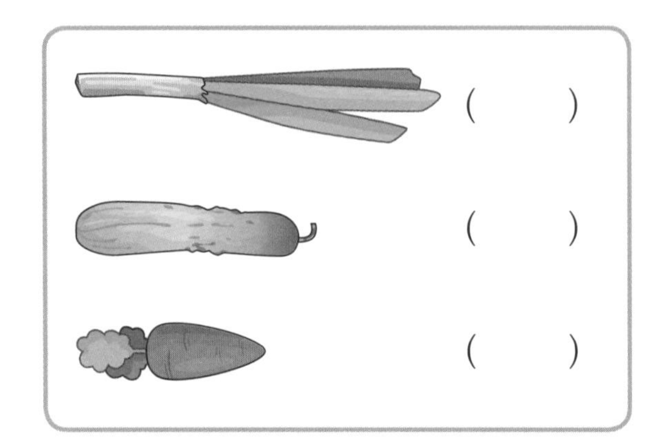

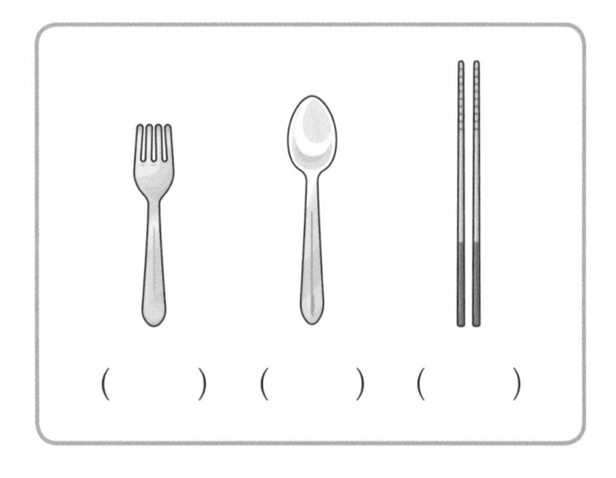

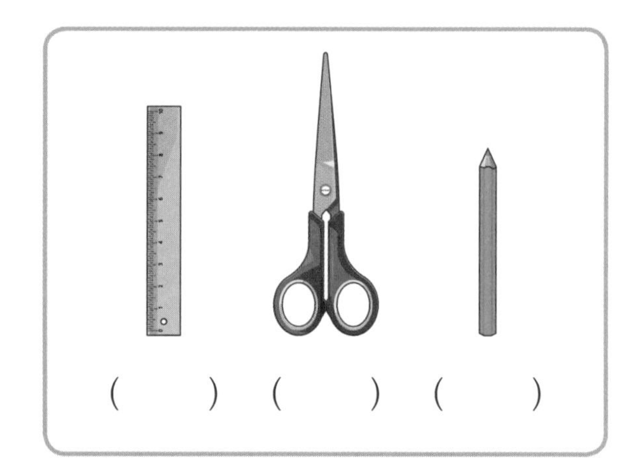

가장 짧은 막대부터 차례로 번호를 써 보세요.

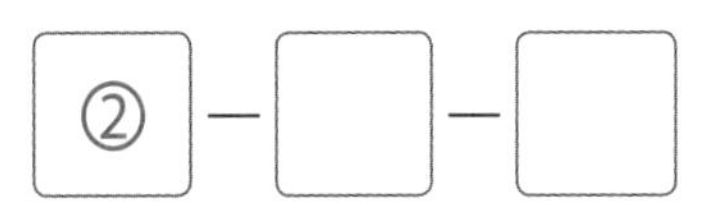

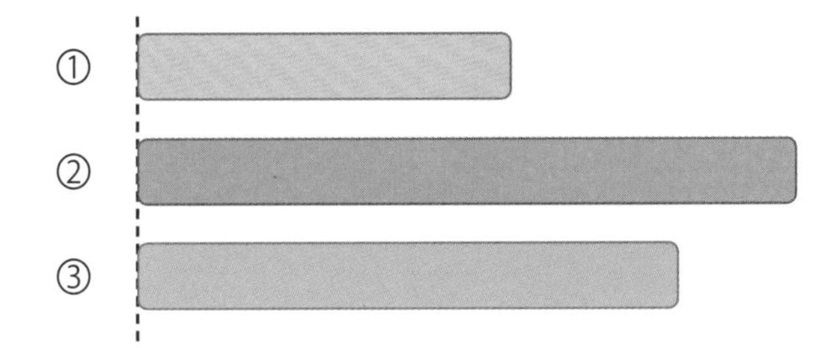

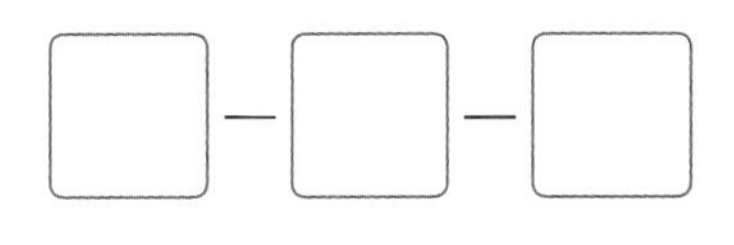

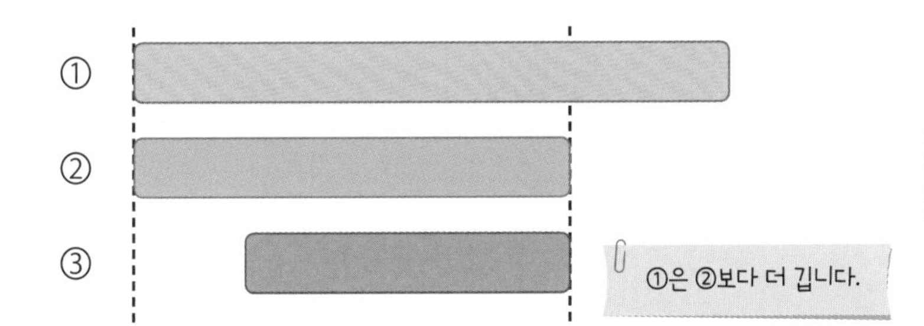

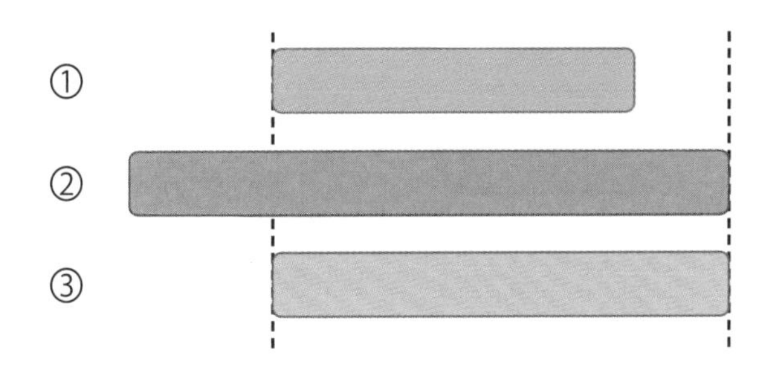

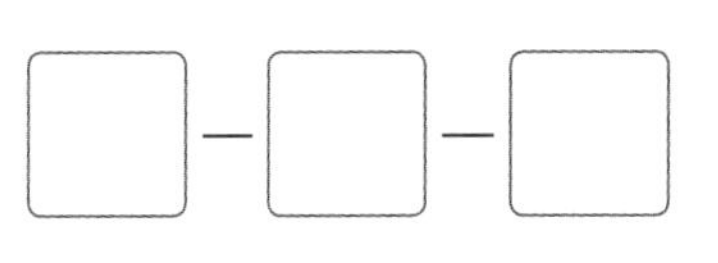

43일 보다 더 긴 것

1 알맞은 것에 모두 ○표 하세요.

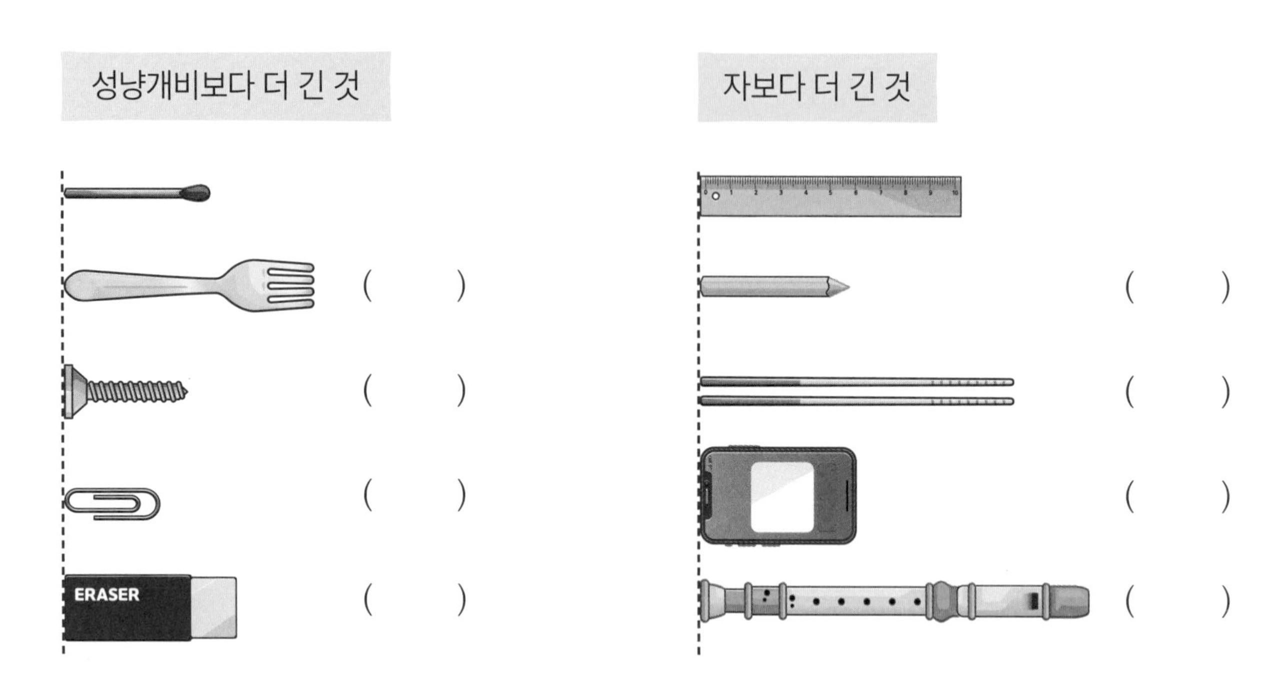

빨간색 막대보다 더 긴 것

( )

( )

( )

( )

노란색 막대보다 더 긴 것

( )

( )

( )

( )

파란색 막대보다 더 짧은 막대에 모두 색칠해 보세요.

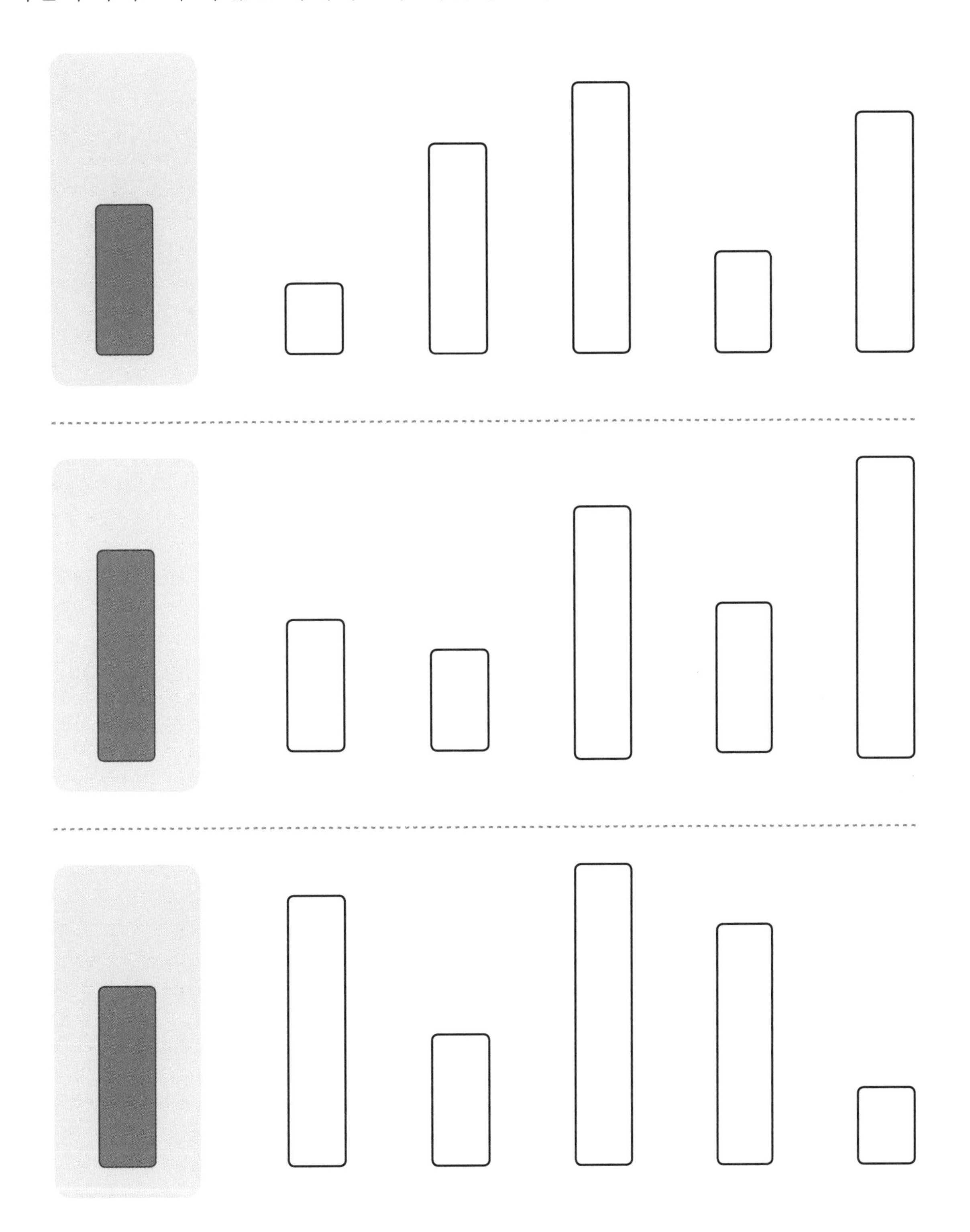

44일 비교하여 말하기

빈칸에 알맞은 말을 써넣으세요.

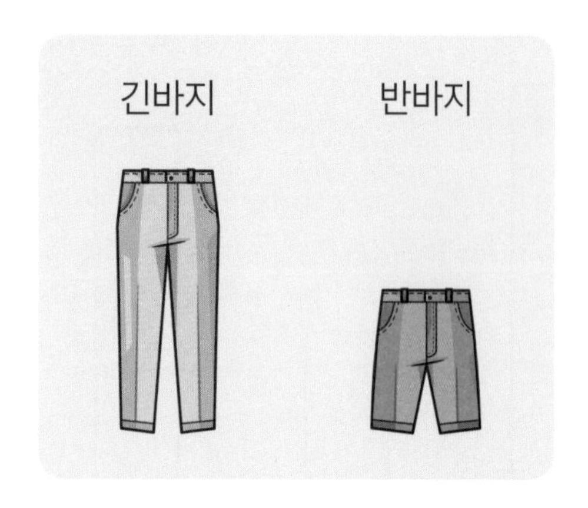

긴바지는 [ ] 보다 더 깁니다.

반바지는 [ ] 보다 더 짧습니다.

[ ] 는 [ ] 보다 더 깁니다.

[ ] 는 [ ] 보다 더 짧습니다.

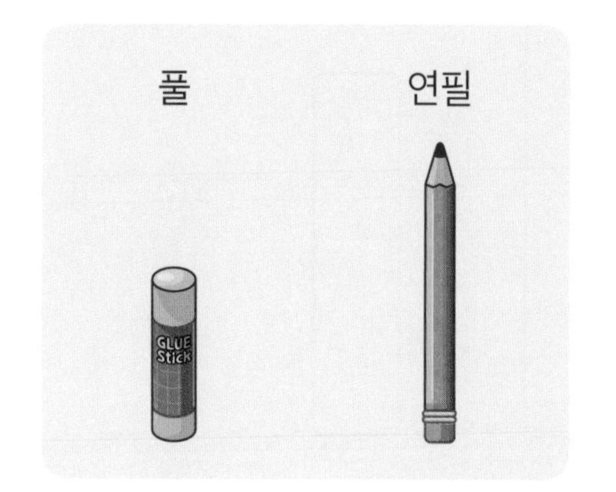

[ ] 은 [ ] 보다 더 깁니다.

[ ] 은 [ ] 보다 더 짧습니다.

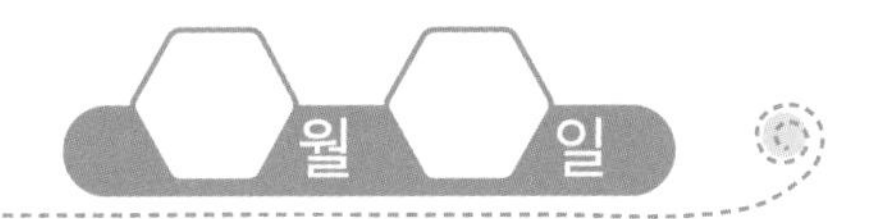

11 알맞은 말에 ◯표 하고, 빈칸에 알맞은 말을 써넣으세요.

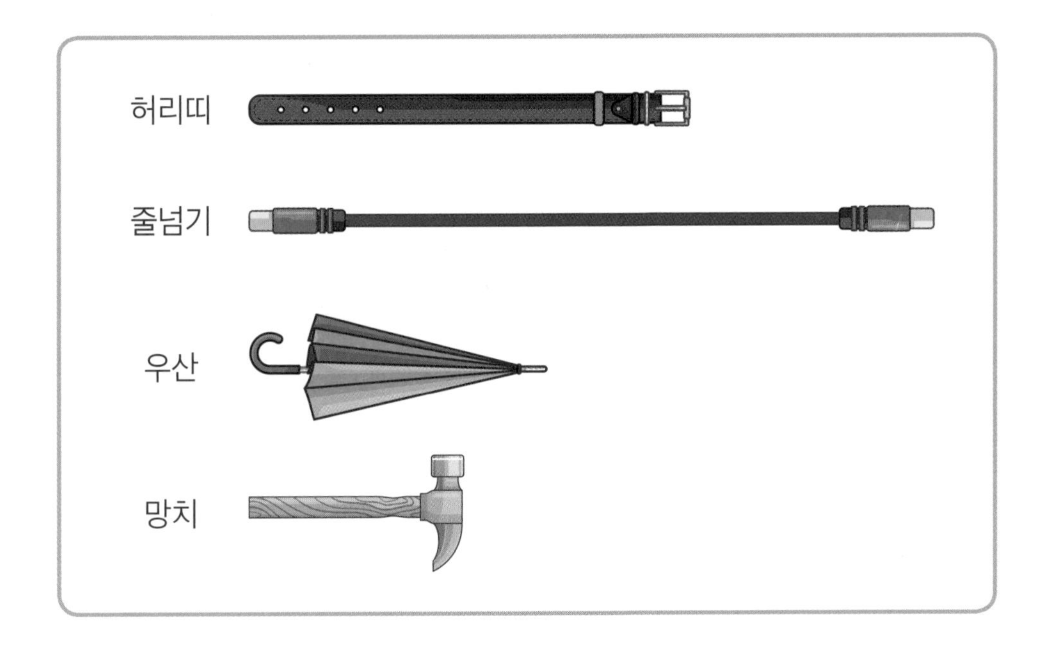

우산은 허리띠보다 더 (깁니다 , 짧습니다).

줄넘기는 망치보다 더 (깁니다 , 짧습니다).

가장 긴 것은 [   ] 입니다.

가장 짧은 것은 [   ] 입니다.

45일 굽은 줄의 길이

1 줄이 더 긴 줄넘기에 ◯표 하세요.

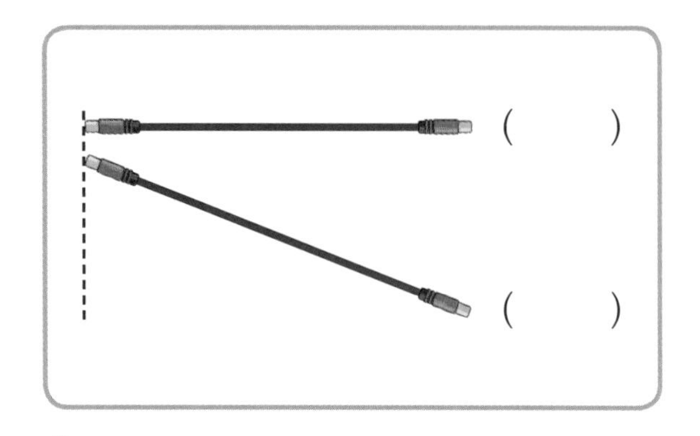

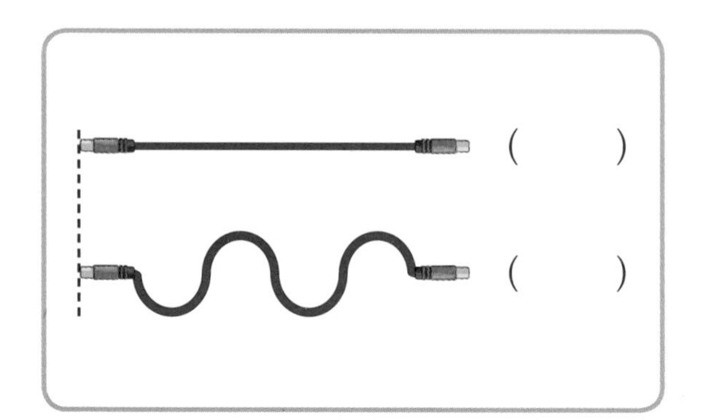

한쪽 끝을 맞추어 나란히 늘어놓은 모습을 예상합니다.

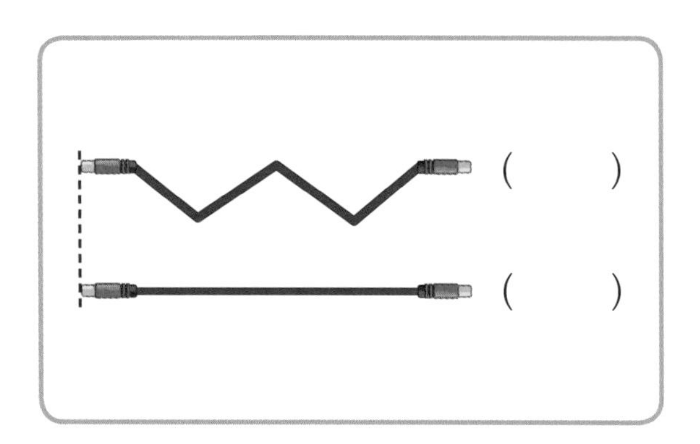

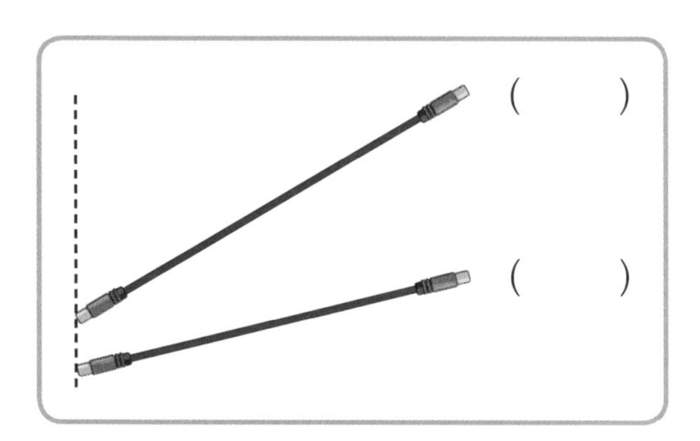

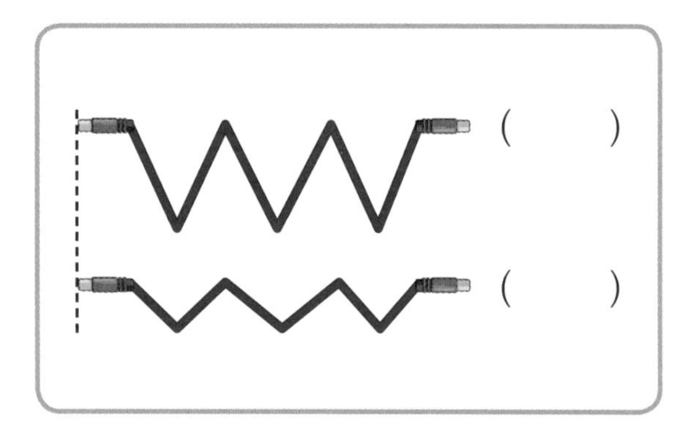

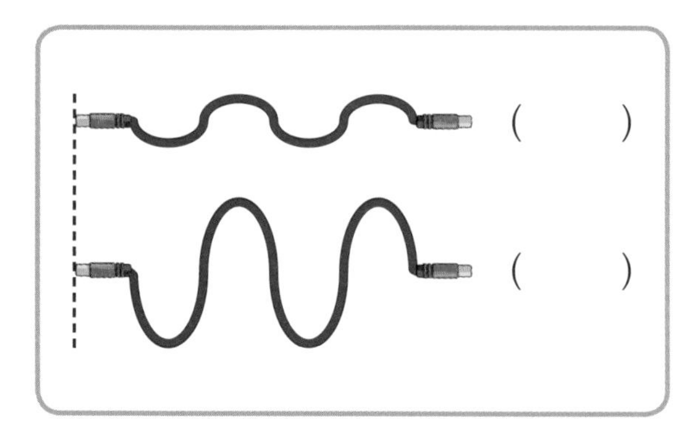

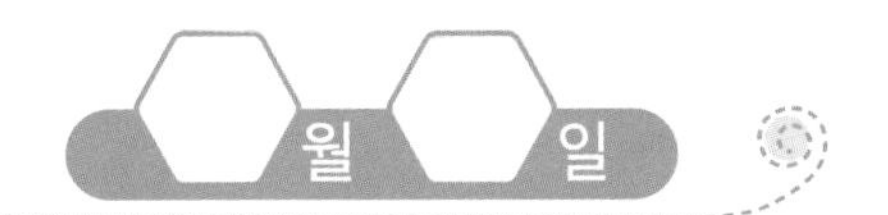

집에서 학교로 가는 가장 짧은 길부터 차례로 번호를 써 보세요.

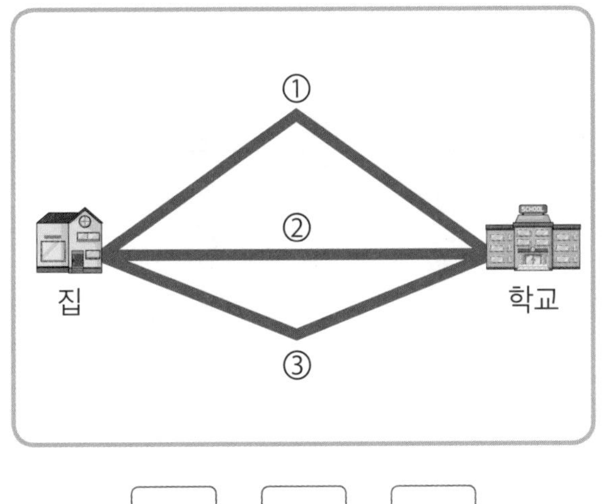

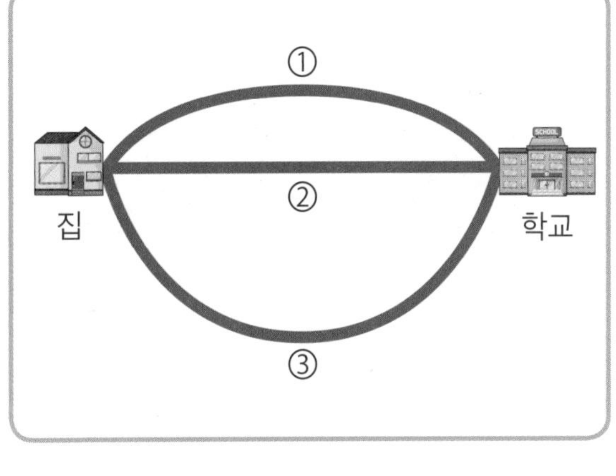

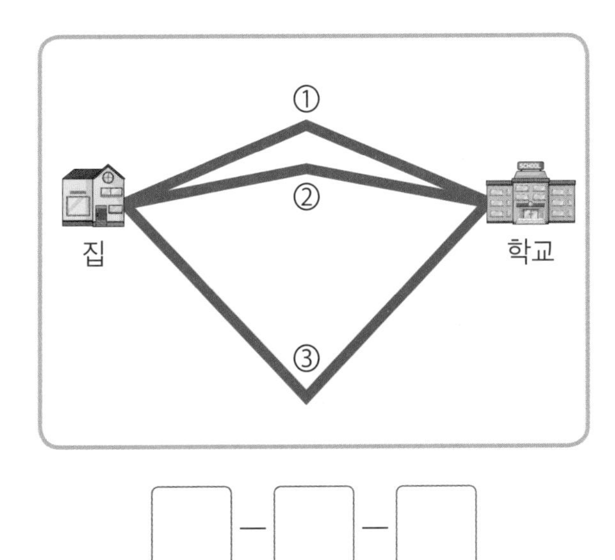

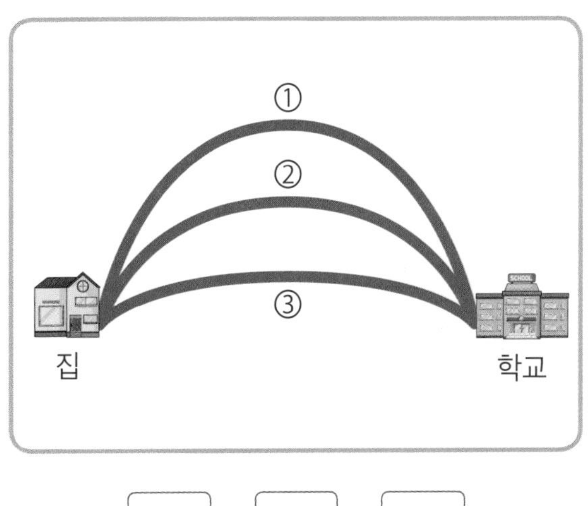

통나무에 줄을 감았습니다. 더 긴 줄에 ◯표 하세요.

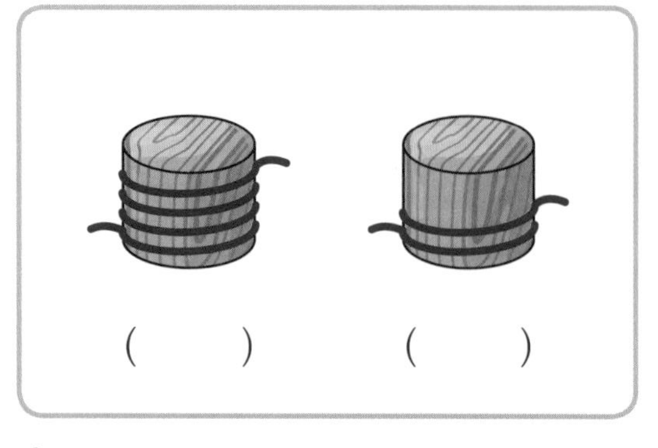

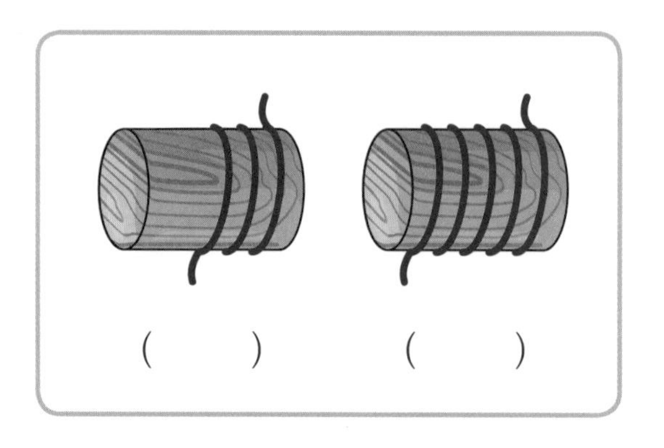

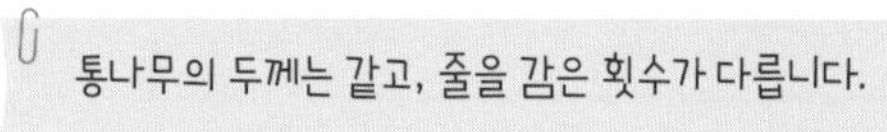

통나무의 두께는 같고, 줄을 감은 횟수가 다릅니다.

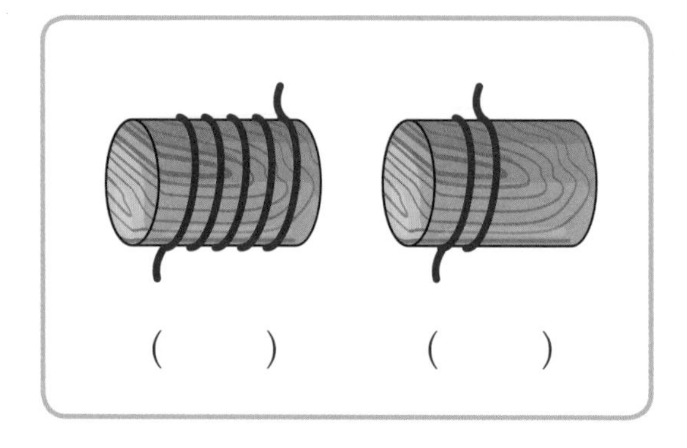

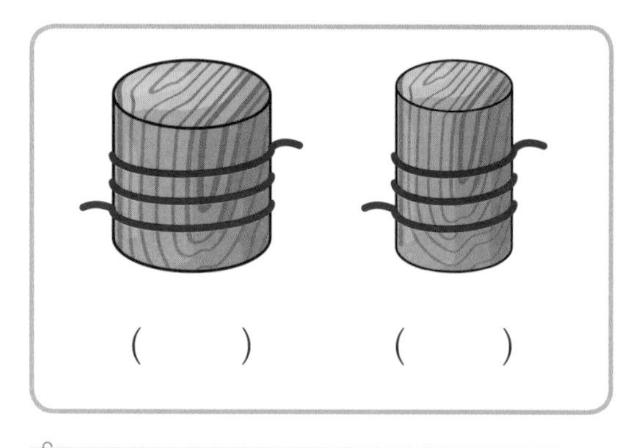

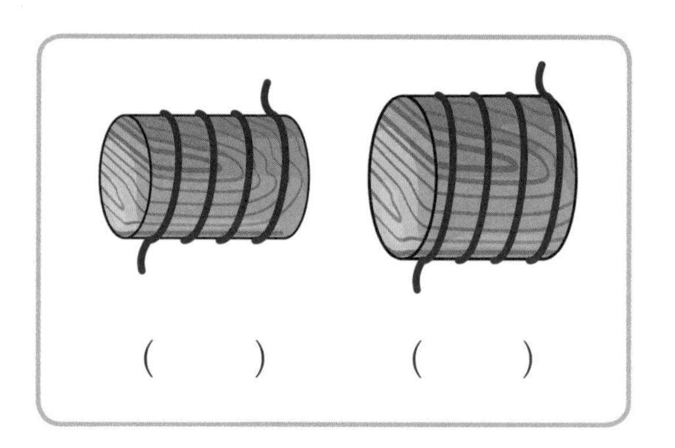

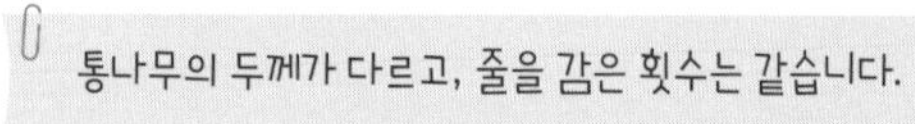

통나무의 두께가 다르고, 줄을 감은 횟수는 같습니다.

2주차
46~50일

높이 비교

46일 높고 낮은 것

1 더 높은 것에 ◯표 하세요.

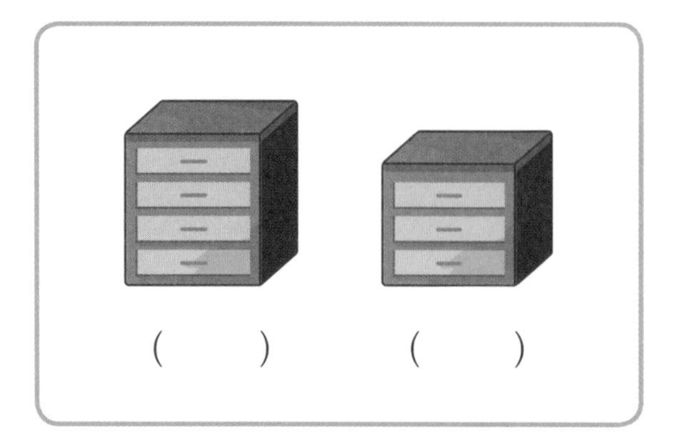

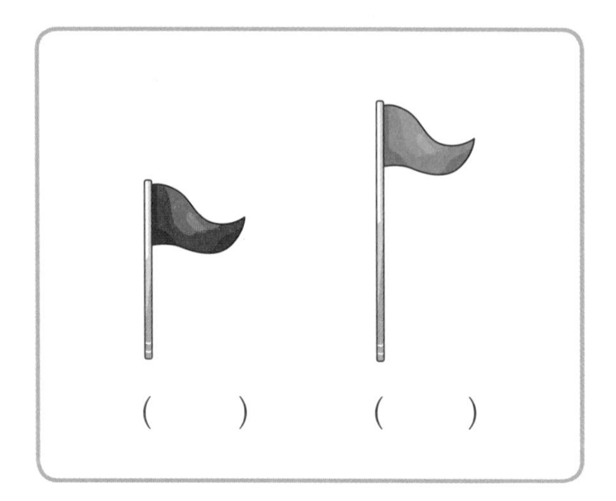

더 높습니다, 더 낮습니다.

높이는 길이로서 측정되는 표현으로 높이를 비교할 때는 바닥 부분을 맞추어 비교합니다.

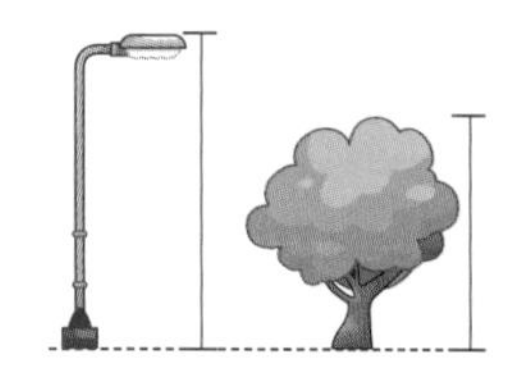

가로등은 나무보다 더 높습니다.
나무는 가로등보다 더 낮습니다.

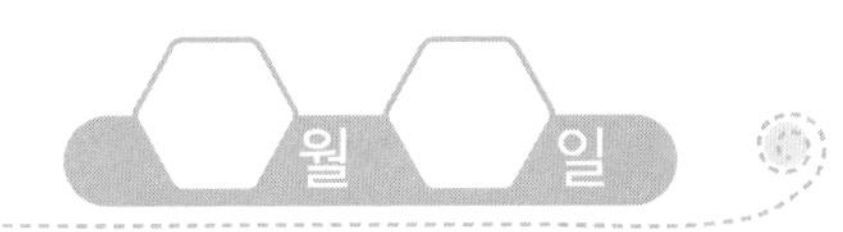

여러 가지 물건을 쌓았습니다. 더 높이 쌓은 것에 색칠해 보세요.

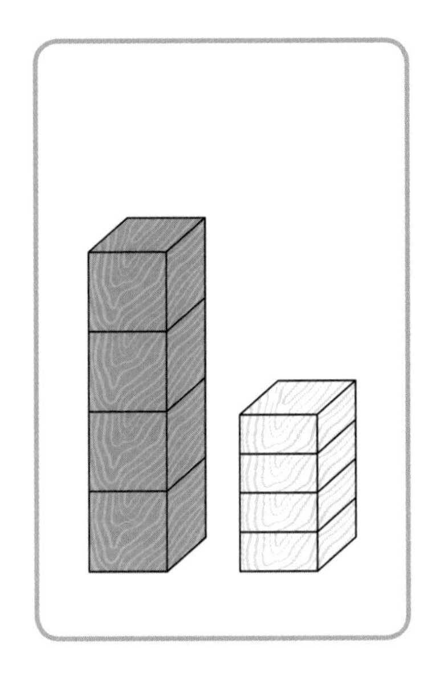
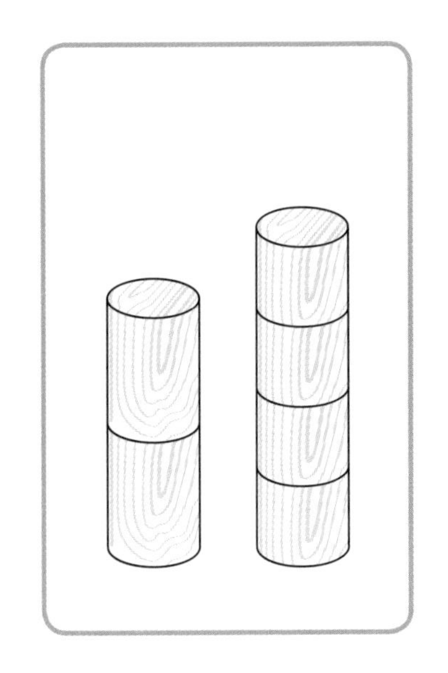
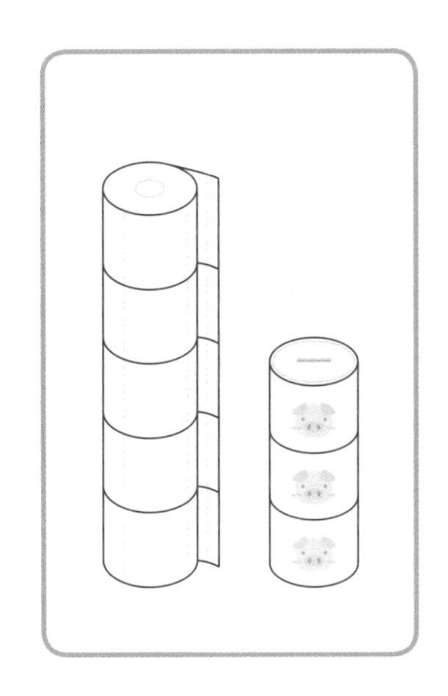
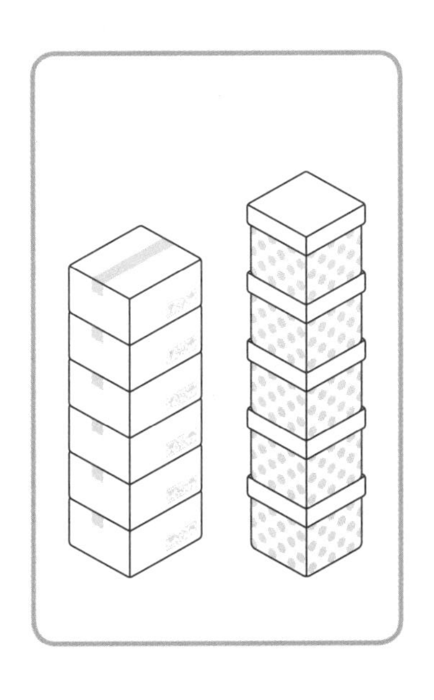
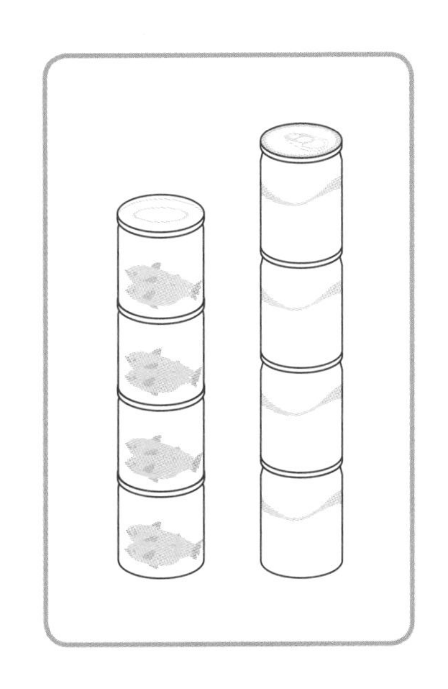
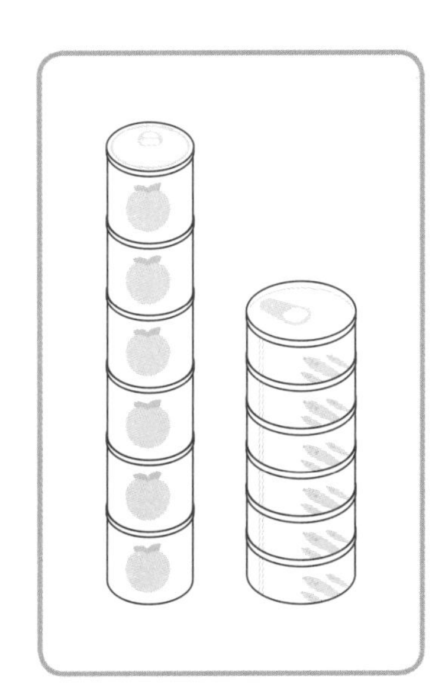

가장 높은 것

가장 높은 것에 ◯표, 가장 낮은 것에 △표 하세요.

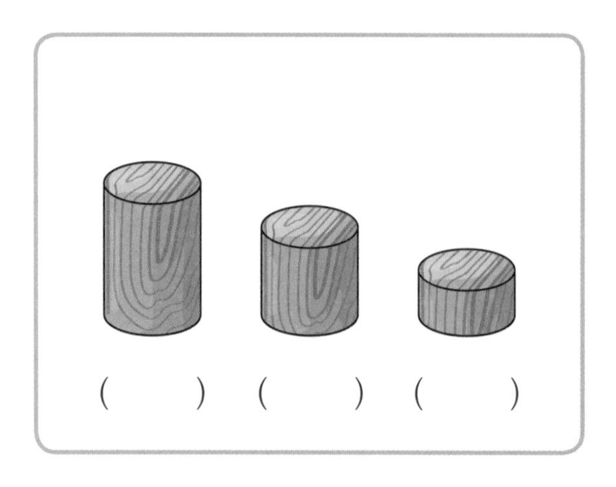

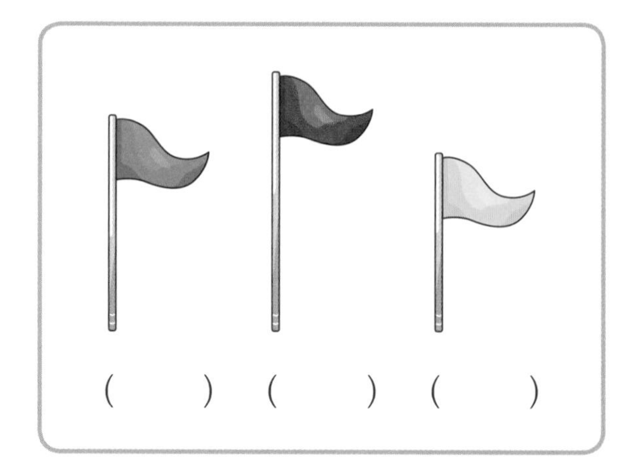

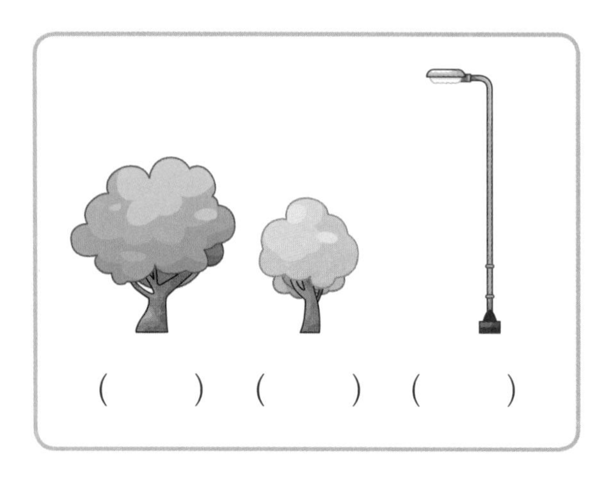

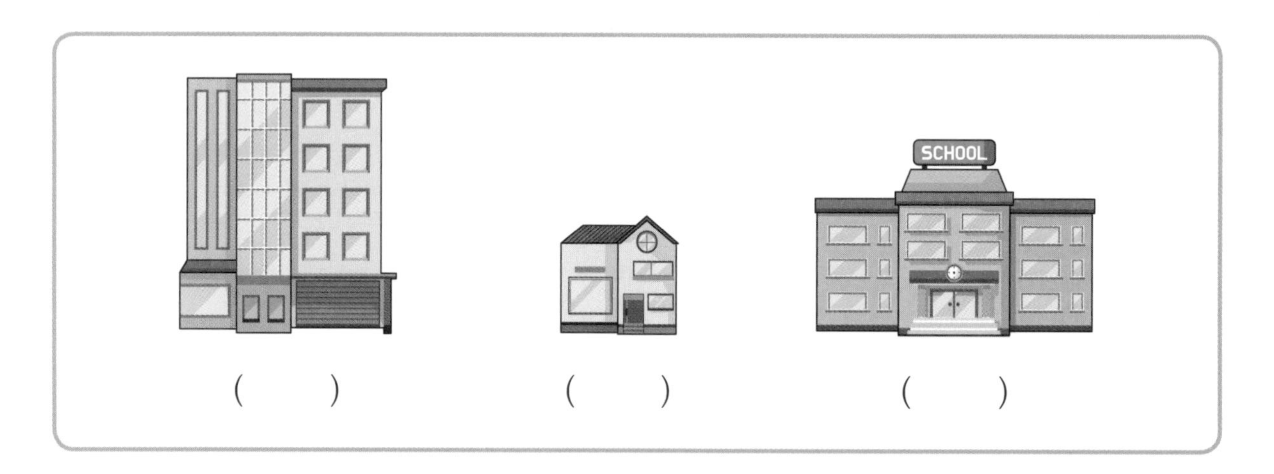

쌓기나무를 쌓았습니다. 가장 높이 쌓은 것부터 차례로 번호를 써 보세요.

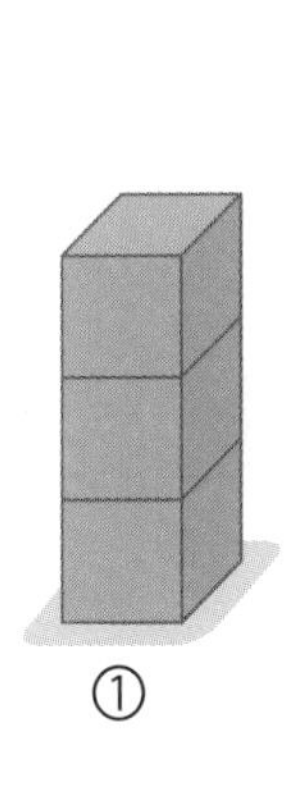
①

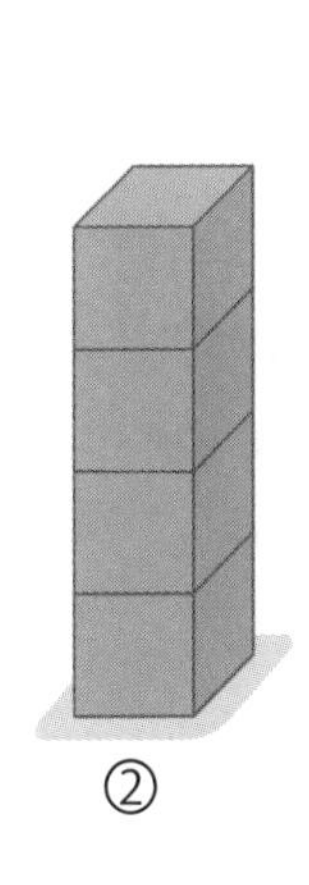
②

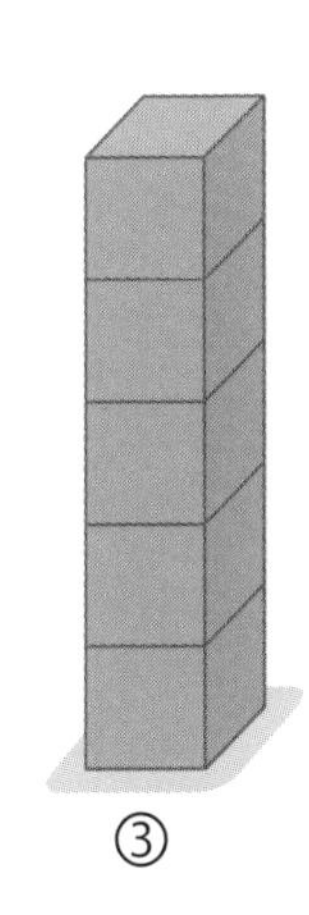
③

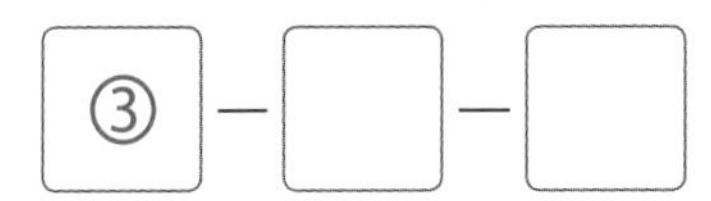

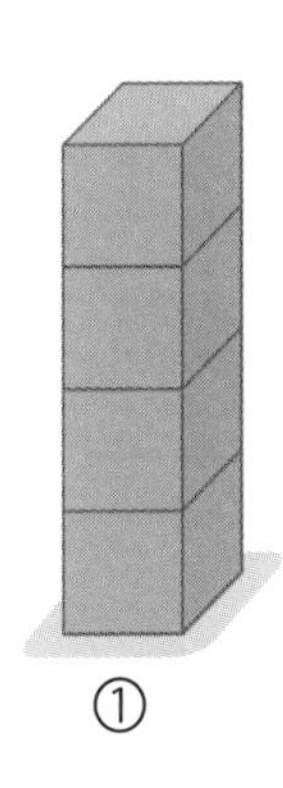
①

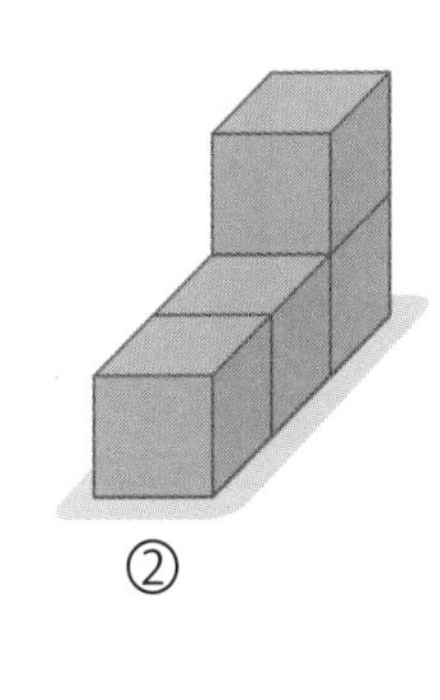
②

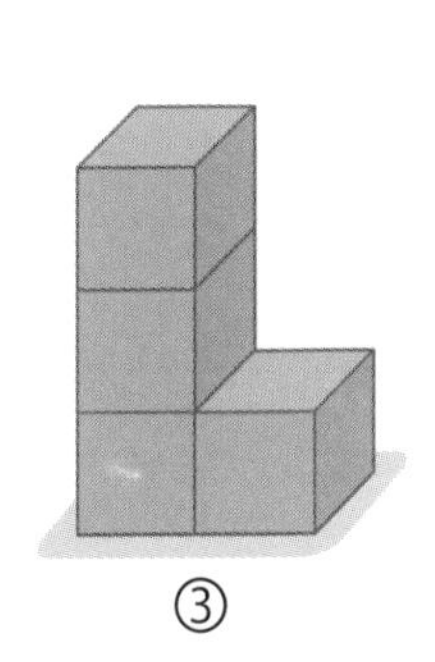
③

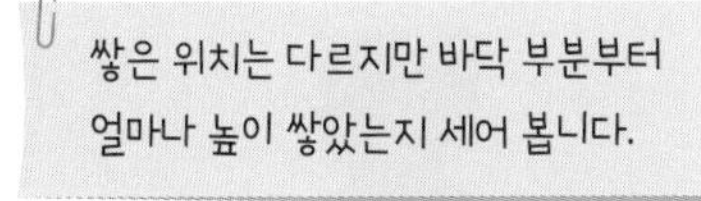

쌓은 위치는 다르지만 바닥 부분부터
얼마나 높이 쌓았는지 세어 봅니다.

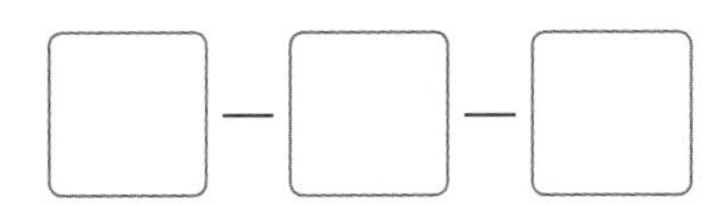

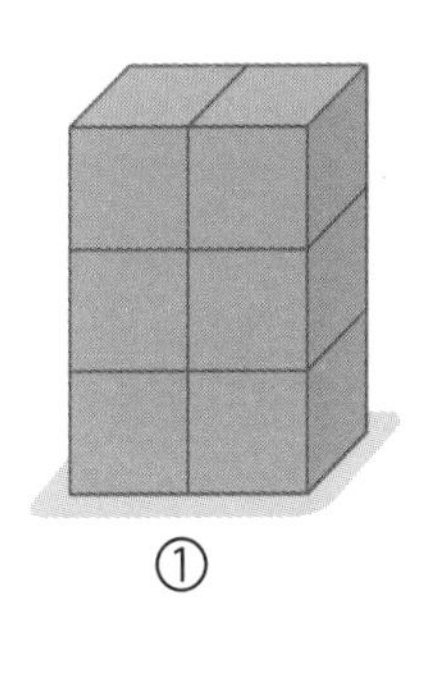
①

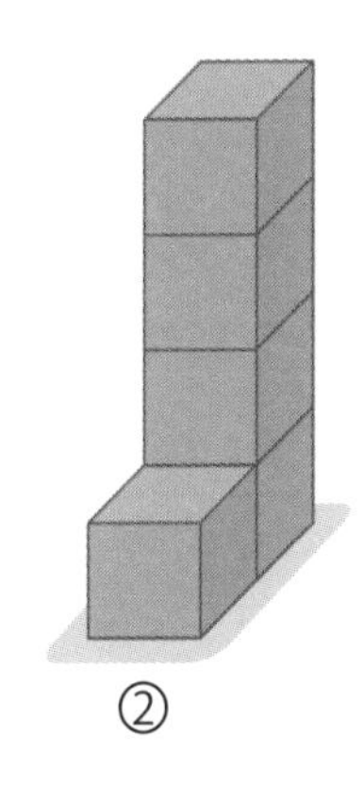
②

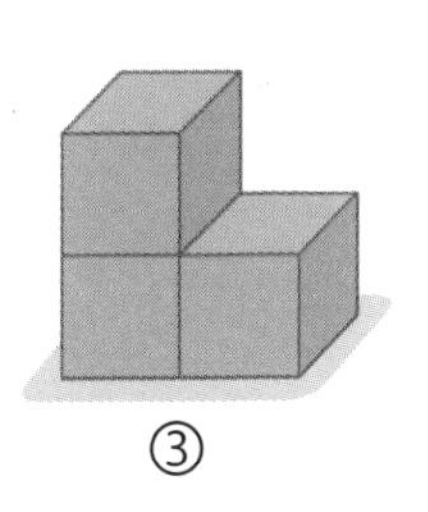
③

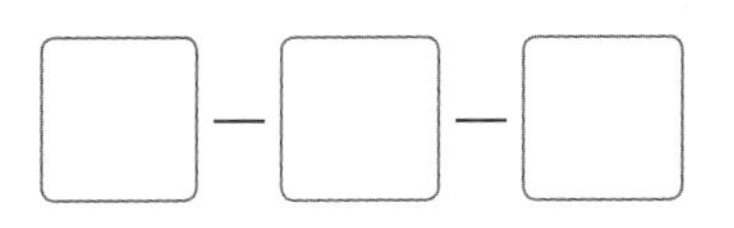

48일 키 비교하기

1 키를 비교했습니다. 키가 더 큰 동물에 ◯표 하세요.

( ) ( )

( ) ( )

( ) ( )

( ) ( )

더 큽니다, 더 작습니다.

키를 비교할 때는 '더 크다', '더 작다'라는 표현을 씁니다.

민재는 유성이보다 키가 더 큽니다.
유성이는 민재보다 키가 더 작습니다.

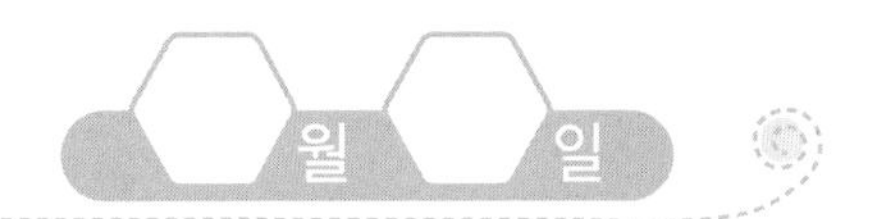

키가 가장 큰 친구에 ◯표, 키가 가장 작은 친구에 △표 하세요.

끝이 다른 키 비교

1 높이가 다른 받침대 위에 섰더니 머리 끝의 위치가 같았습니다. 키가 더 큰 친구에 ○표 하세요.

( ) ( )

( ) ( )

머리 끝을 기준으로 키를 비교합니다.

( ) ( )

( ) ( )

높이가 다른 받침대 위에 섰더니 머리 끝의 위치가 같았습니다. 키가 가장 큰 친구부터 차례로 번호를 써 보세요.

50일 비교하여 말하기

빈칸에 알맞은 말을 써넣으세요.

책장은 [ ] 보다 더 높습니다.

화분은 [ ] 보다 더 낮습니다.

[ ] 는 [ ] 보다 더 높습니다.

[ ] 는 [ ] 보다 더 낮습니다.

[ ] 는 [ ] 보다 키가 더 큽니다.

[ ] 는 [ ] 보다 키가 더 작습니다.

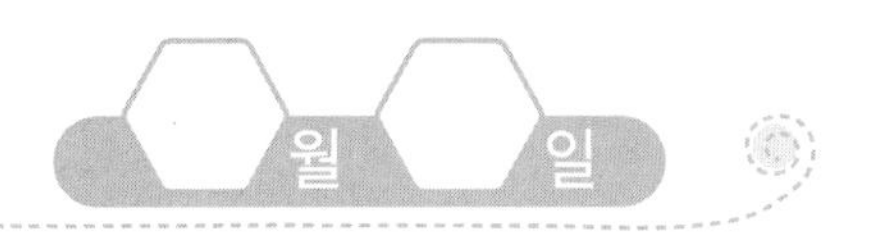

알맞은 말에 ◯표 하고, 빈칸에 알맞은 말을 써넣으세요.

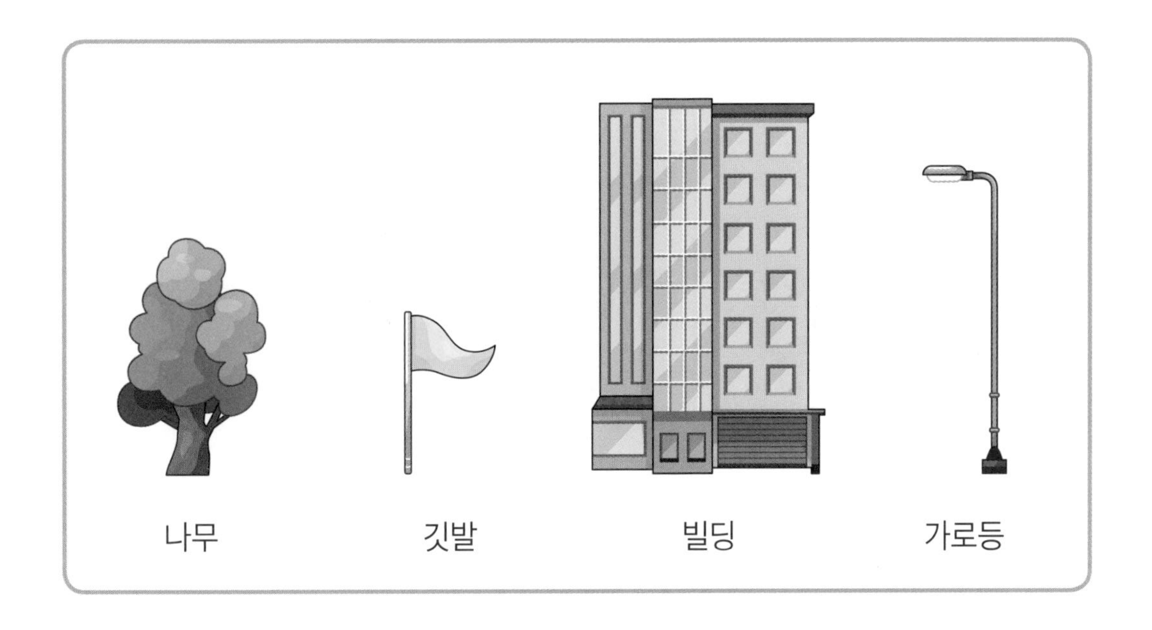

깃발은 가로등보다 더 (높습니다 , 낮습니다).

빌딩은 나무보다 더 (높습니다 , 낮습니다).

가장 높은 것은 [ ] 입니다.

가장 낮은 것은 [ ] 입니다.

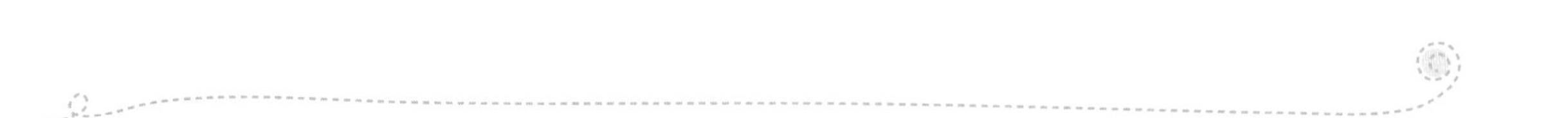

빈칸에 알맞은 친구의 이름을 써 보세요.

지아는 해리보다 키가 더 크고 민주보다 키가 더 작습니다.

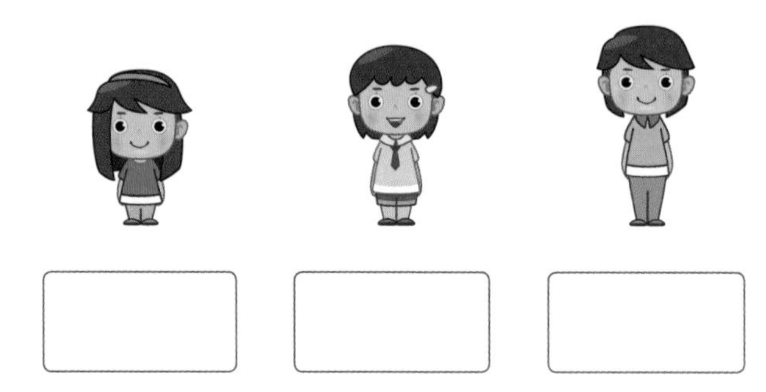

선우는 지호보다 키가 더 작고, 지호는 시후보다 키가 더 작습니다.

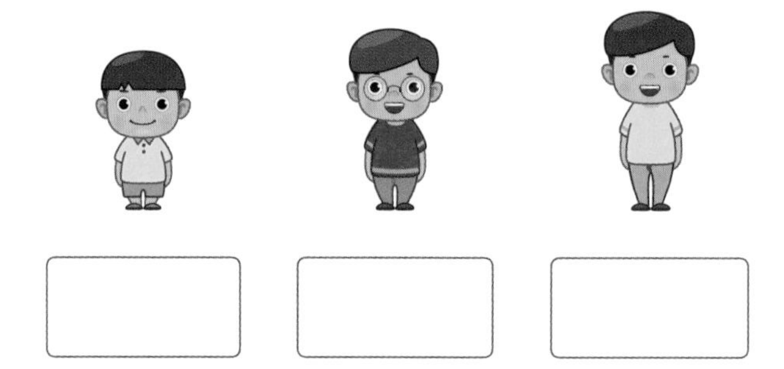

3주차
51~55일

넓이 비교

51일 넓고 좁은 것

1 더 넓은 것에 ◯표 하세요.

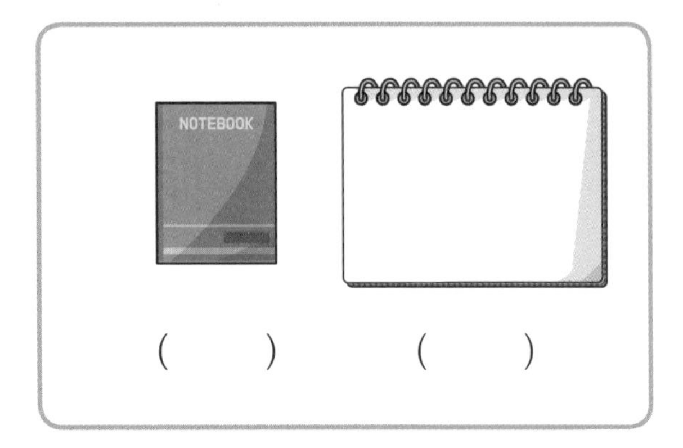

( ) ( )

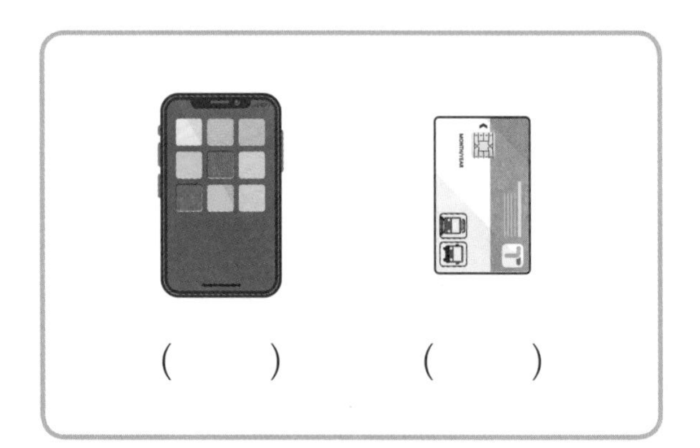

( ) ( )

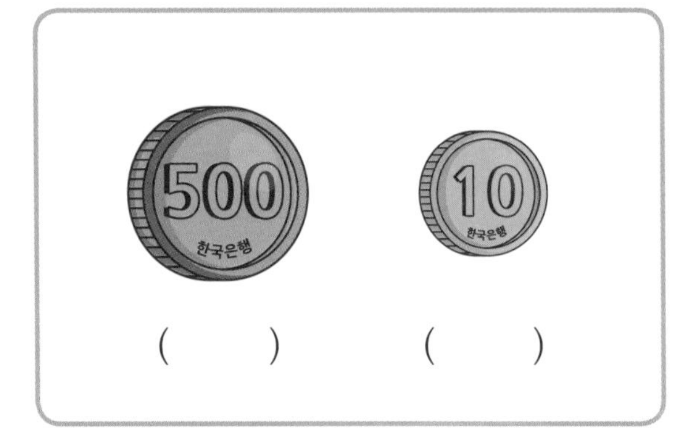

( ) ( )

( ) ( )

더 넓습니다, 더 좁습니다.

넓이를 비교할 때는 한쪽 끝을 맞추어 겹쳐 봅니다.

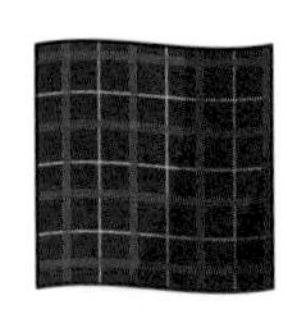

손수건은 접시보다 더 넓습니다.
접시는 손수건보다 더 좁습니다.

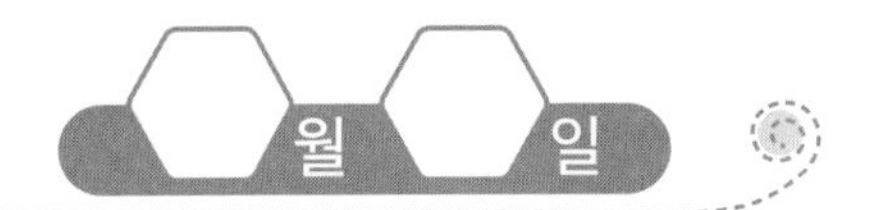

더 좁은 것에 색칠해 보세요.

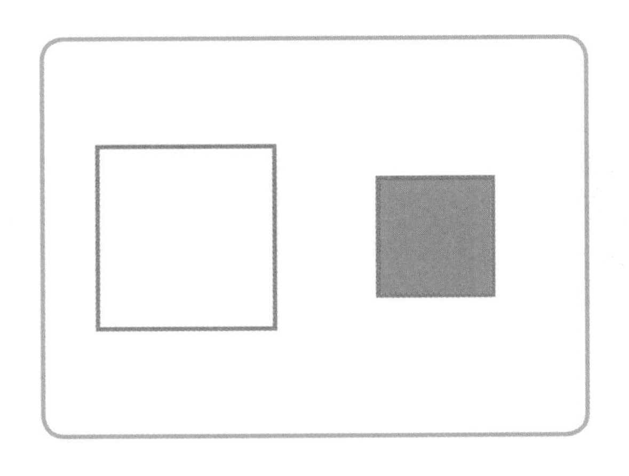

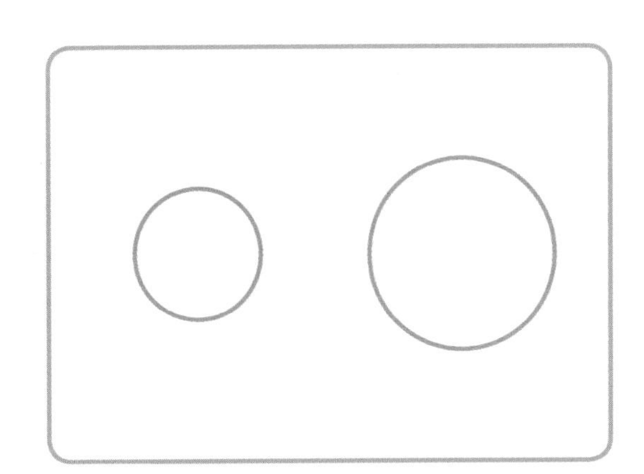

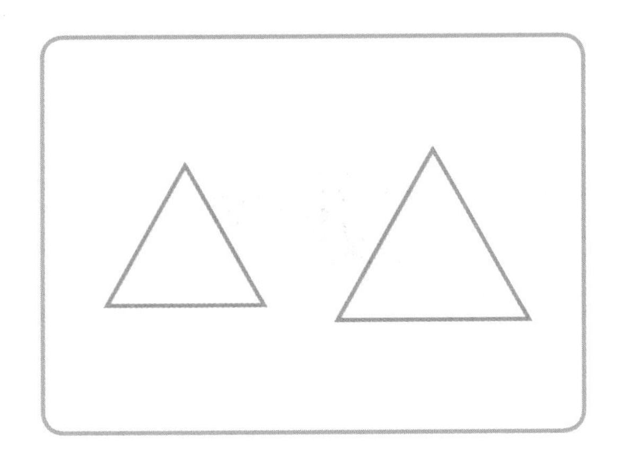

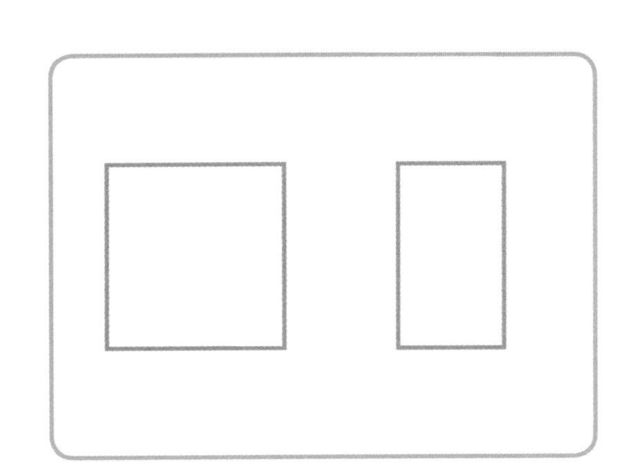

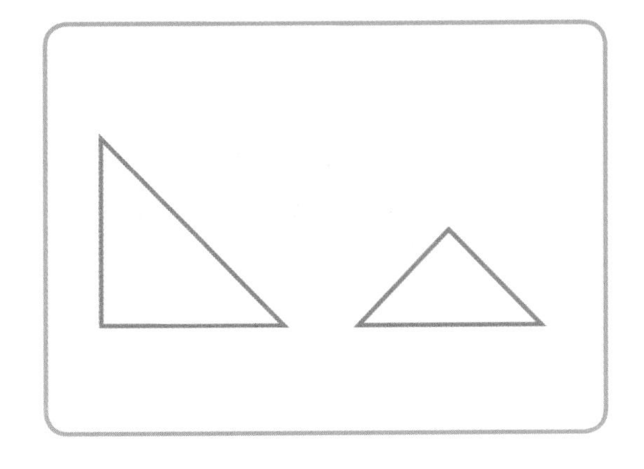

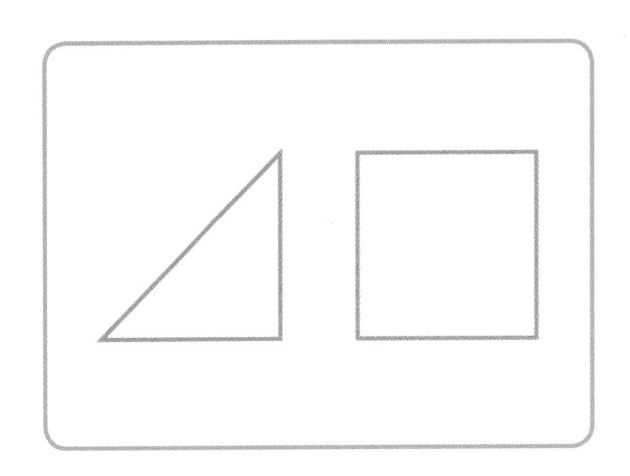

52일 가장 넓은 것

1 가장 넓은 것에 ○표, 가장 좁은 것에 △표 하세요.

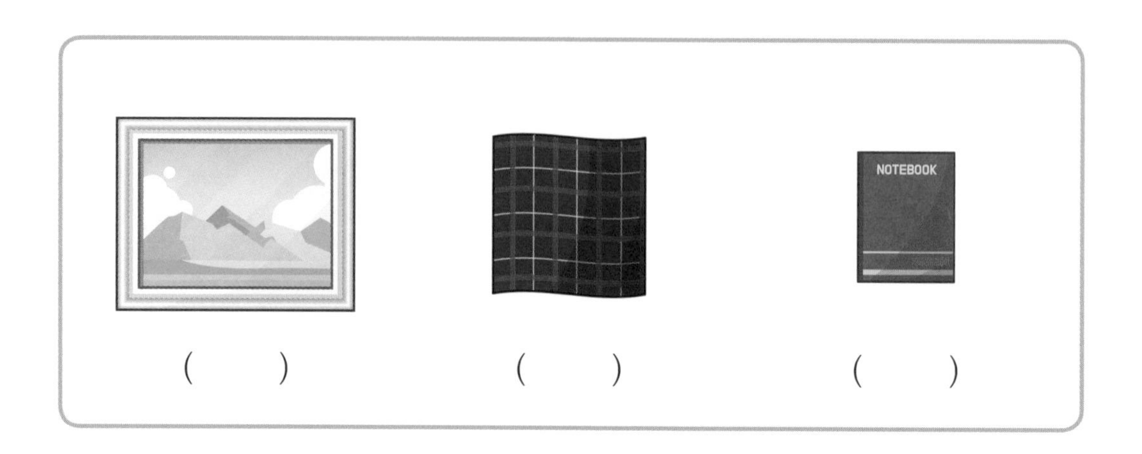

( ) ( ) ( )

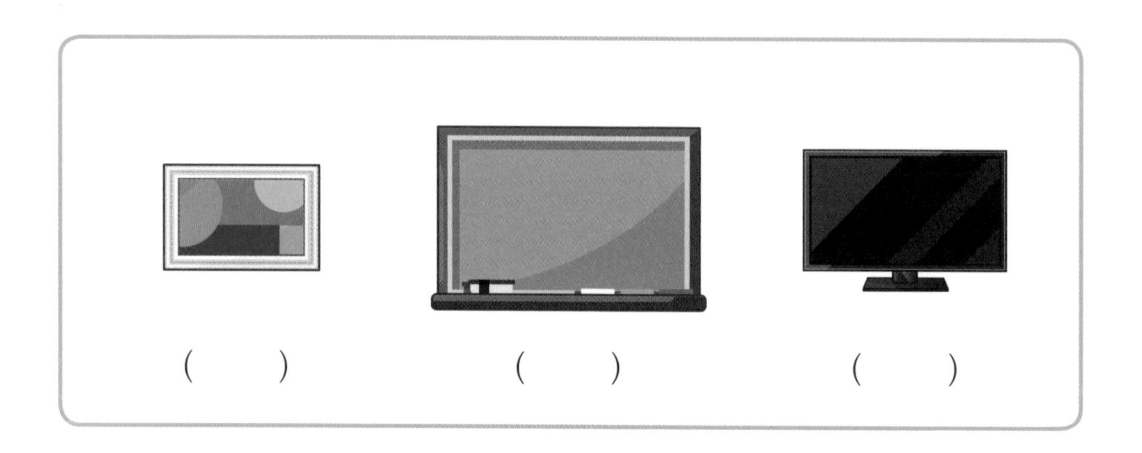

( ) ( ) ( )

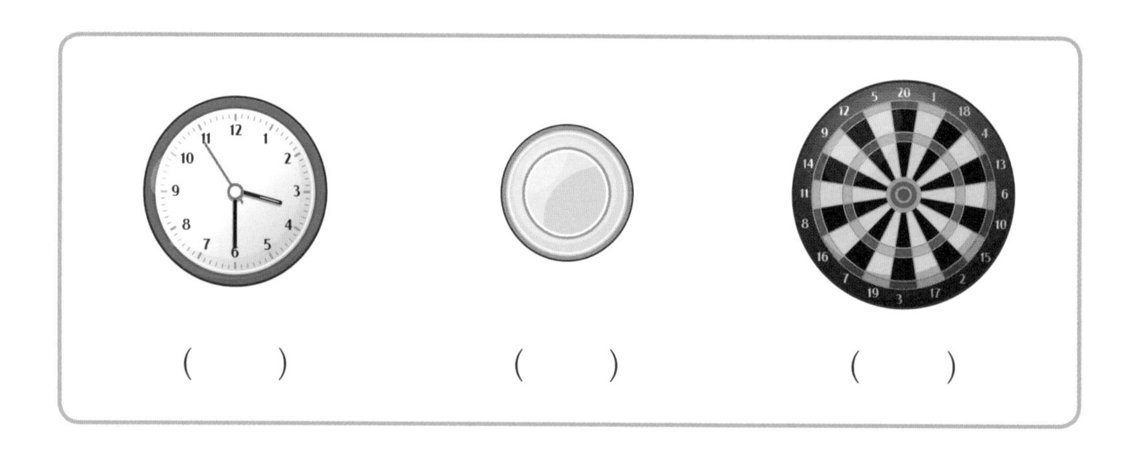

( ) ( ) ( )

가장 넓은 것부터 차례로 번호를 써 보세요.

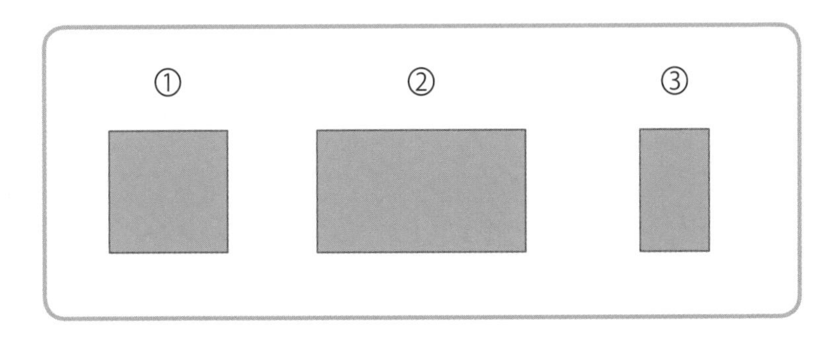

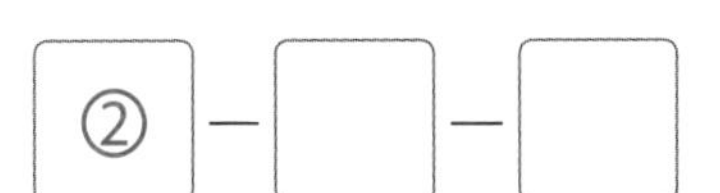

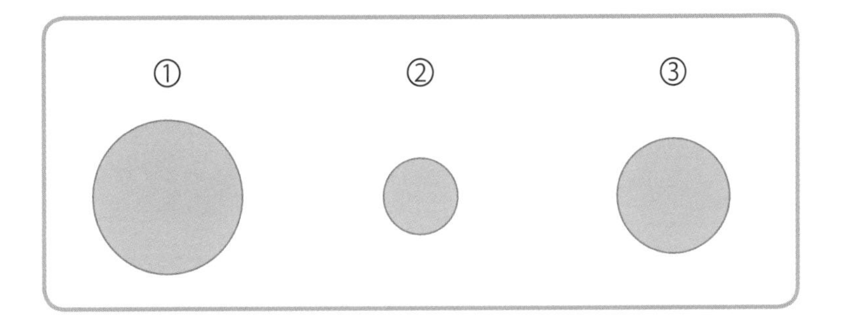

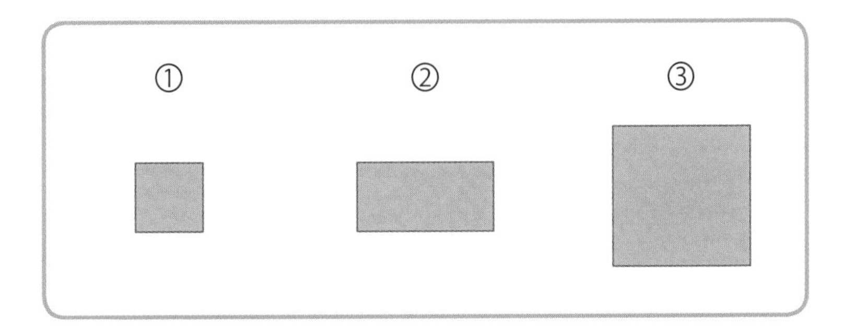

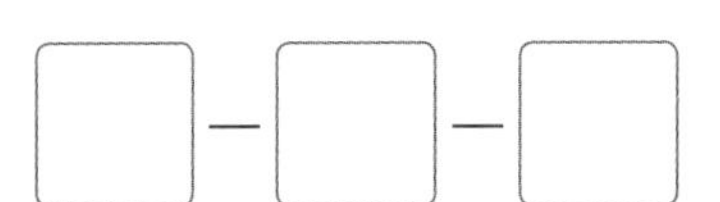

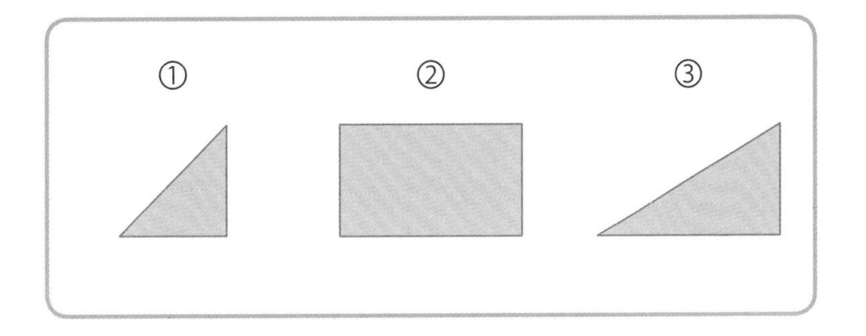

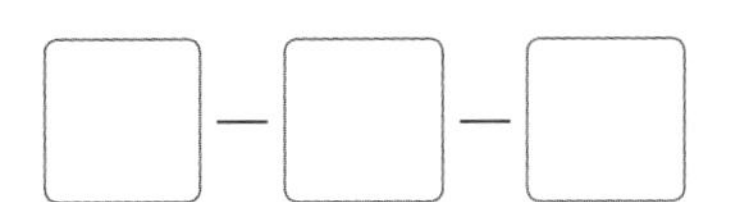

53일 더 좁고 넓게 그리기

가운데 모양보다 더 좁은 모양과 더 넓은 모양을 각각 그려 보세요.

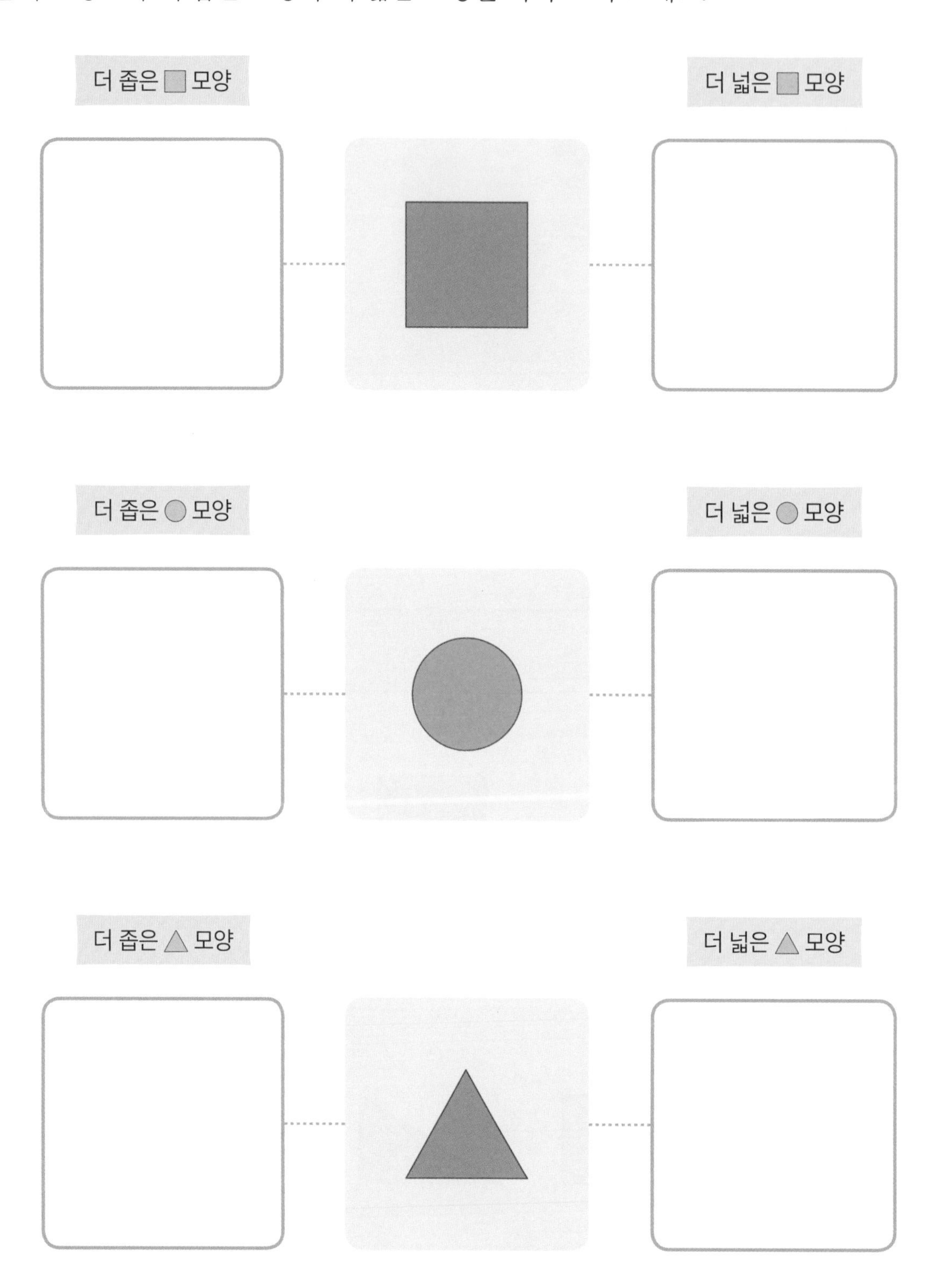

왼쪽 모양보다 더 넓고, 오른쪽 모양보다 더 좁은 모양을 그려 보세요.

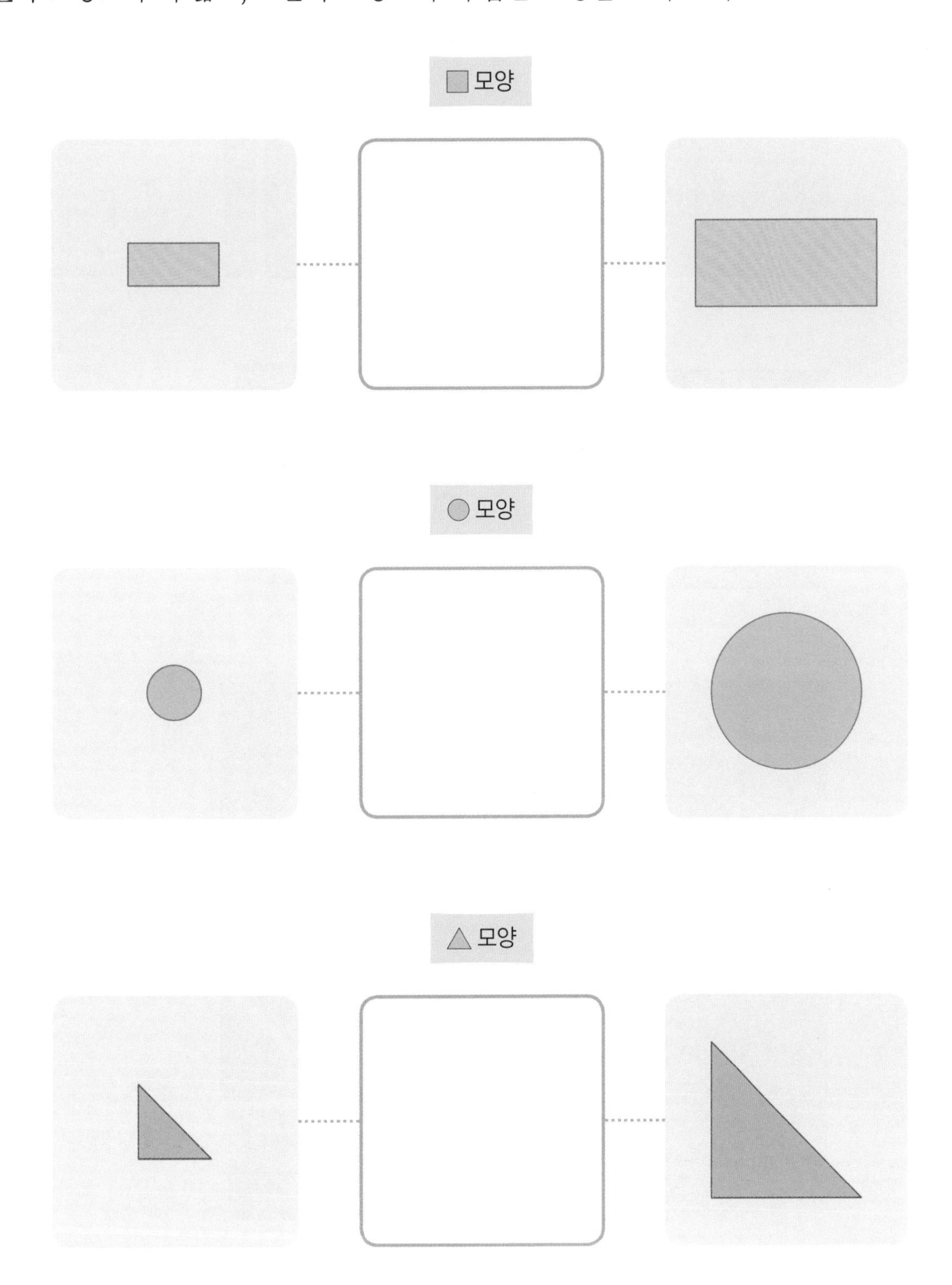

자른 색종이의 넓이

점선을 따라 색종이를 잘랐습니다. 가장 넓은 것에 ◯표, 가장 좁은 것에 △표 하세요.

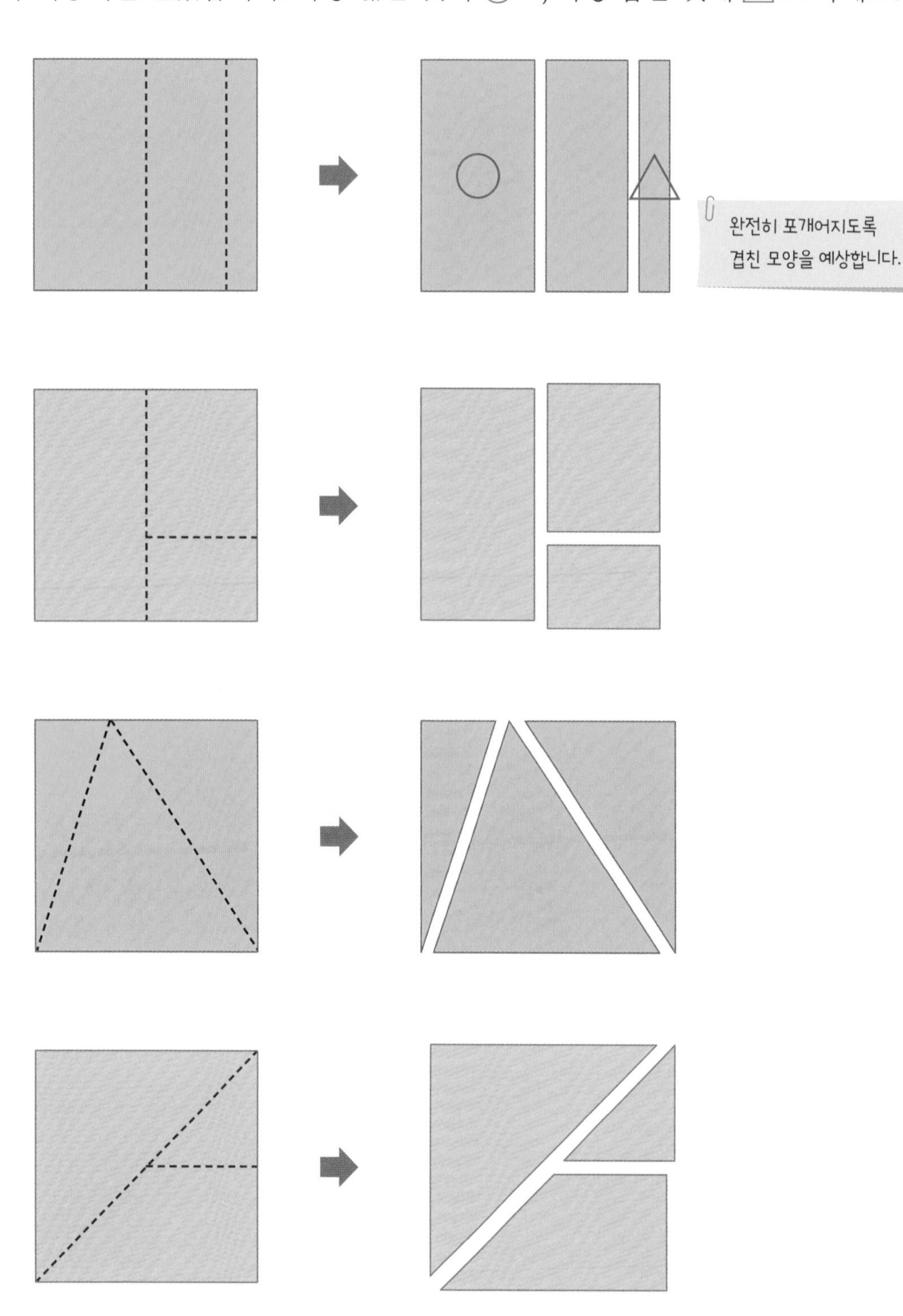

완전히 포개어지도록
겹친 모양을 예상합니다.

점선을 따라 색종이를 잘랐습니다. 가장 좁은 것부터 차례로 번호를 써 보세요.

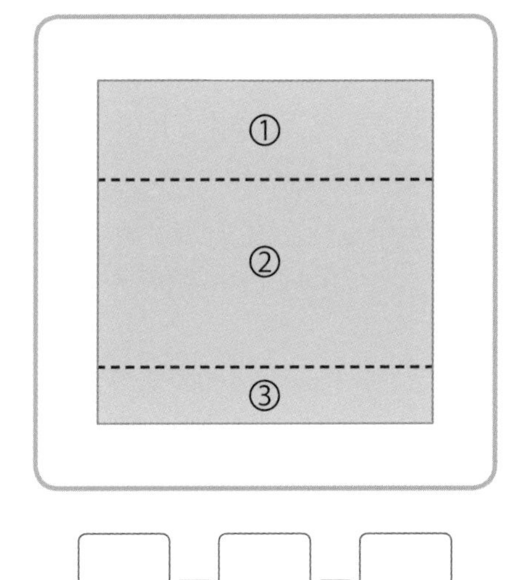

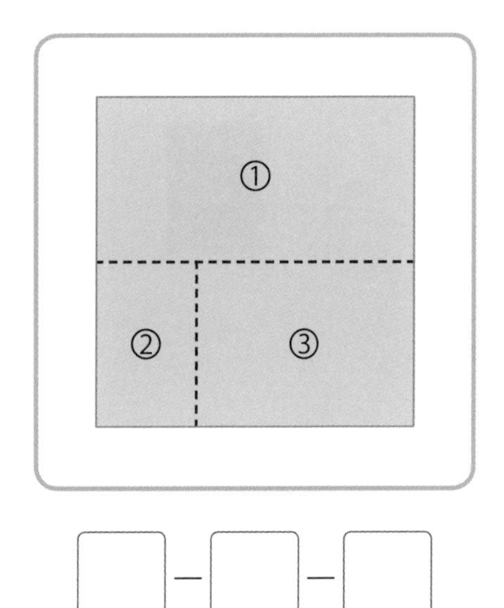

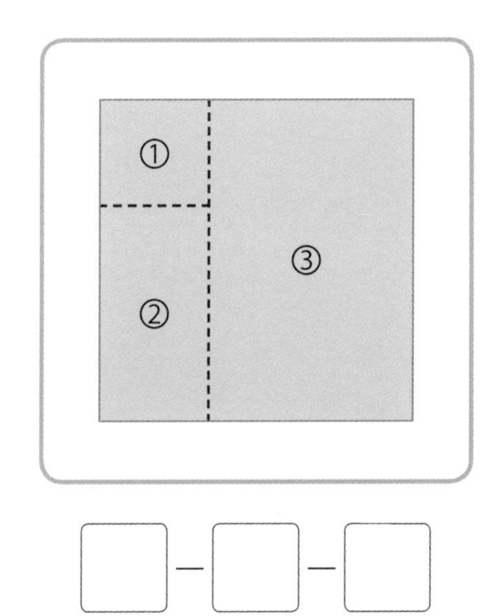

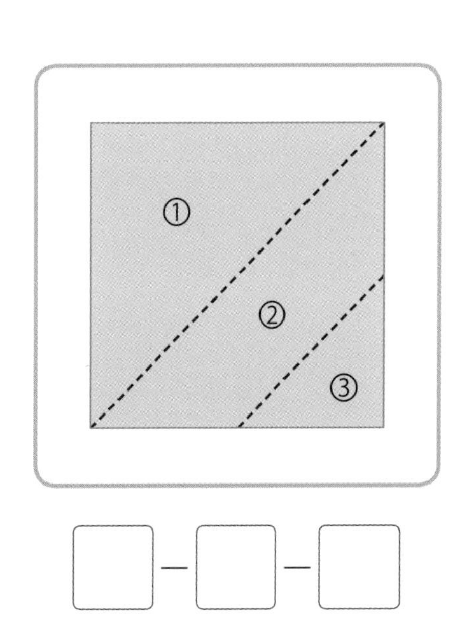

55일 비교하여 말하기

빈칸에 알맞은 말을 써넣으세요.

스케치북은 [ ] 보다 더 넓습니다.

공책은 [ ] 보다 더 좁습니다.

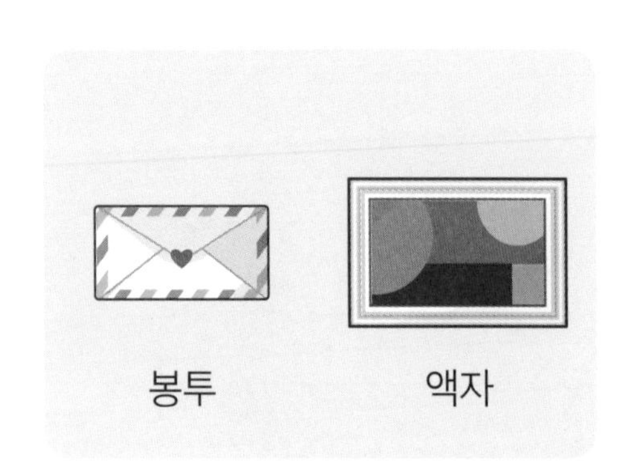

[ ] 는 [ ] 보다 더 넓습니다.

[ ] 는 [ ] 보다 더 좁습니다.

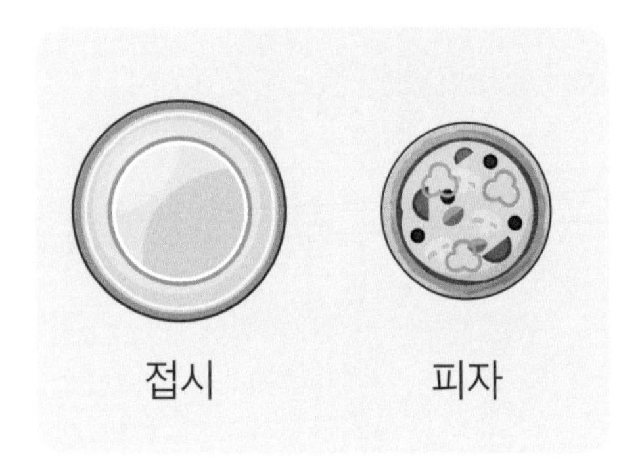

[ ] 는 [ ] 보다 더 넓습니다.

[ ] 는 [ ] 보다 더 좁습니다.

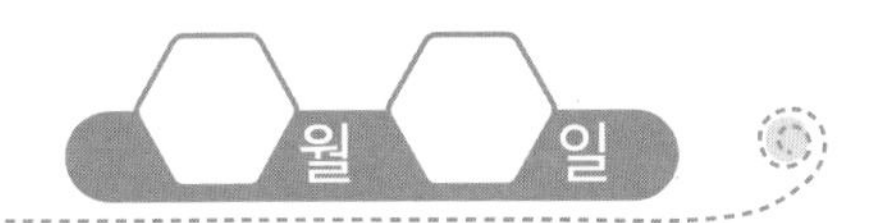

알맞은 말에 ◯표 하고, 빈칸에 알맞은 말을 써넣으세요.

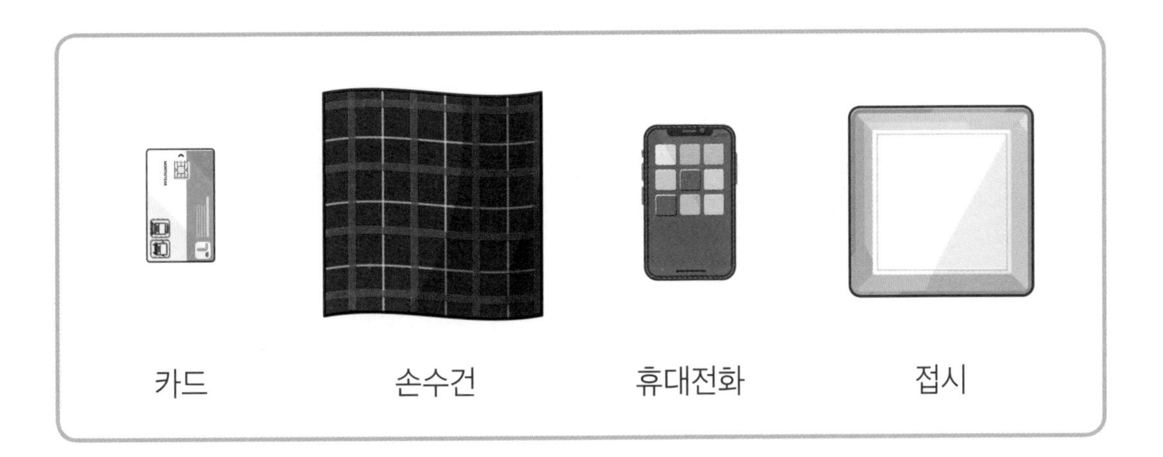

손수건은 접시보다 더 (넓습니다 , 좁습니다).

카드는 휴대전화보다 더 (넓습니다 , 좁습니다).

접시는 카드보다 더 (넓습니다 , 좁습니다).

가장 넓은 것은 ☐ 입니다.

가장 좁은 것은 ☐ 입니다.

넓이를 비교하는 말을 두 가지로 써 보세요.

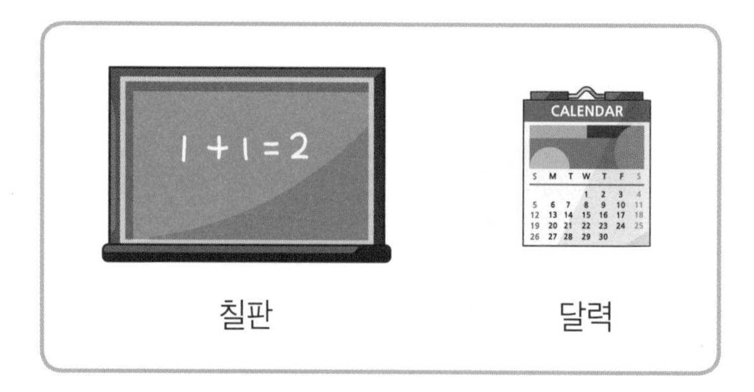

- 칠판은 달력보다 더 넓습니다.
-

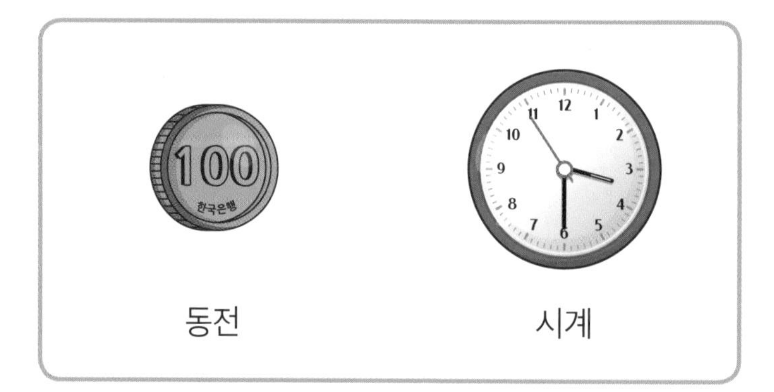

-
-

4주차
56~60일

들이 비교

담을 수 있는 양

1 담을 수 있는 양이 더 많은 것에 ○표 하세요.

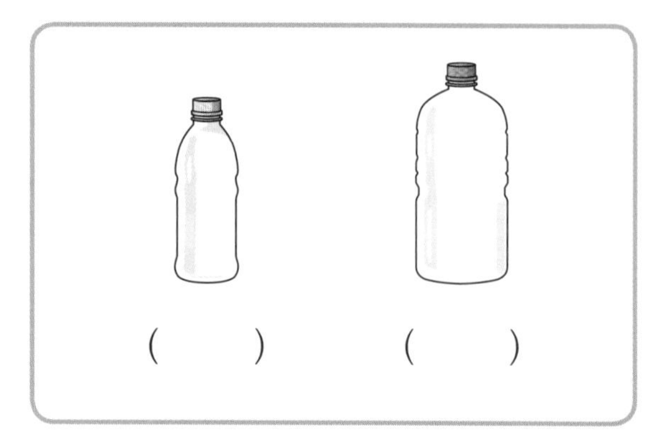

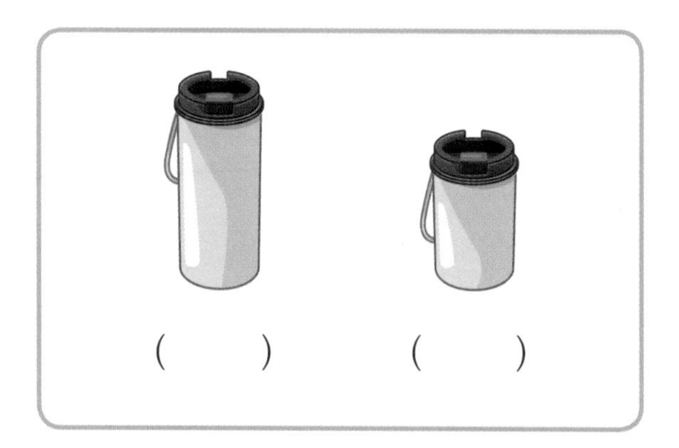

담을 수 있는 양

크기를 직관적으로 비교하여 물을 더 많이 담을 수 있는 것을 찾습니다.
담을 수 있는 양을 비교할 때는 '더 많다', '더 적다'라는 표현을 씁니다.

페트병은 컵보다 담을 수 있는 양이 더 많습니다.
컵은 페트병보다 담을 수 있는 양이 더 적습니다.

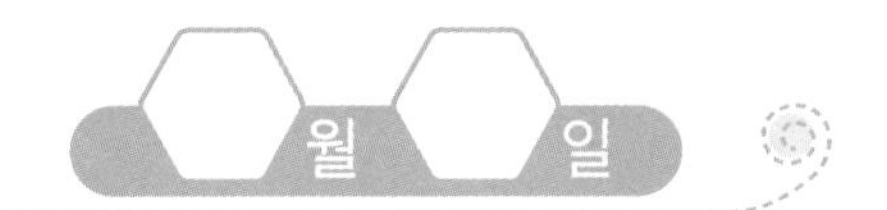

더 많이 담을 수 있는 컵에 색칠해 보세요.

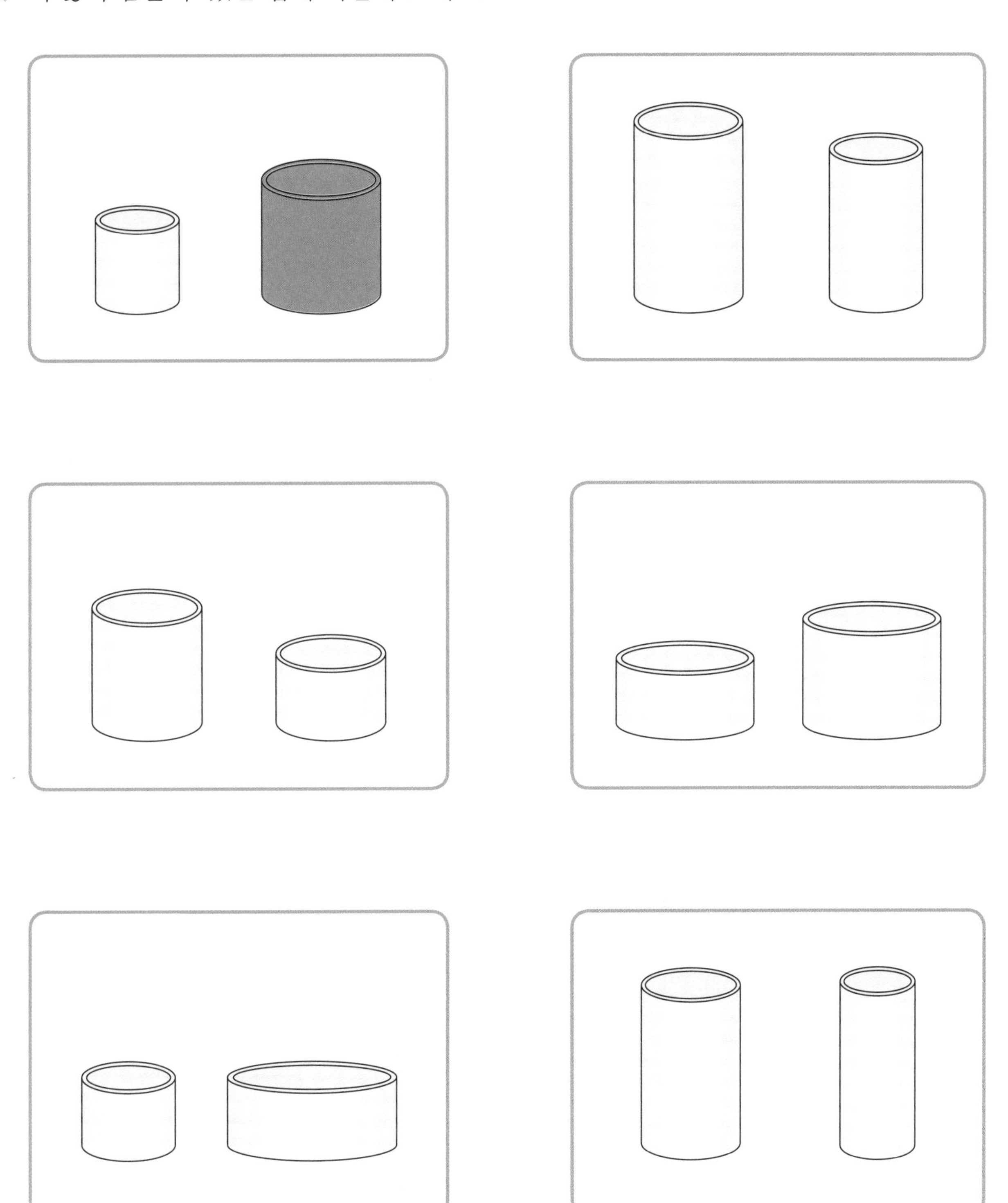

57일 가장 많이 담는 것

담을 수 있는 양이 가장 많은 것에 ○표, 가장 적은 것에 △표 하세요.

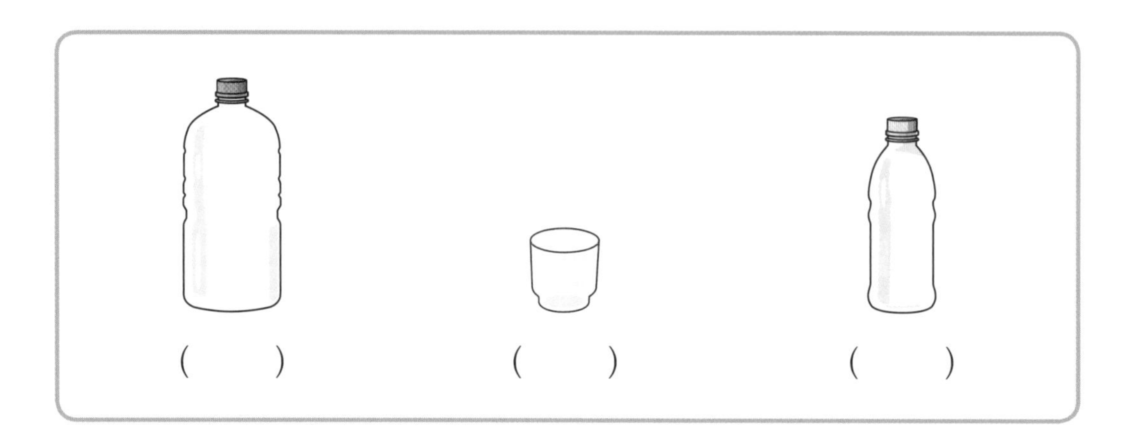

( ) ( ) ( )

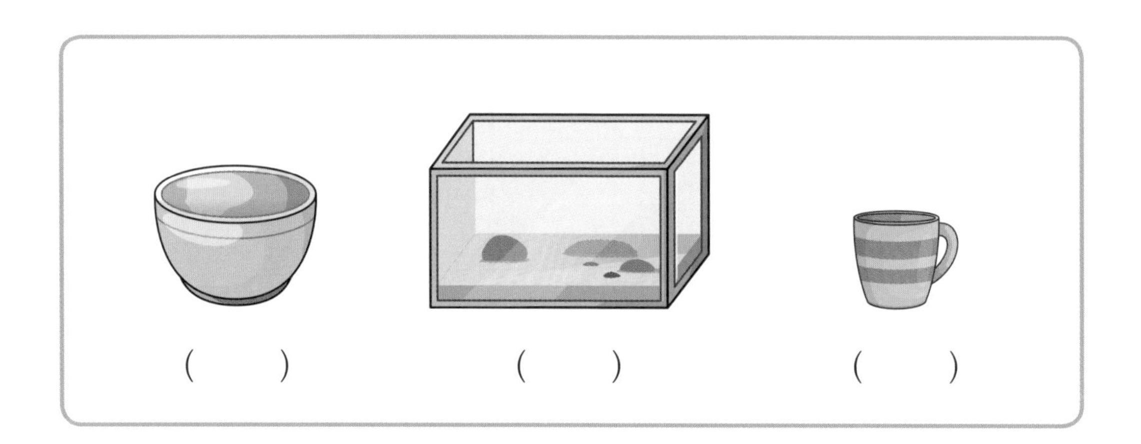

( ) ( ) ( )

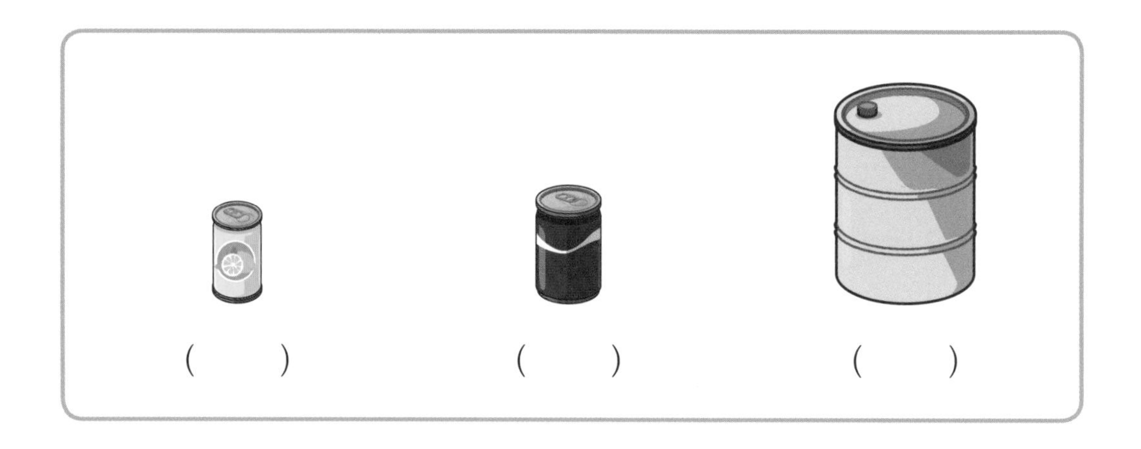

( ) ( ) ( )

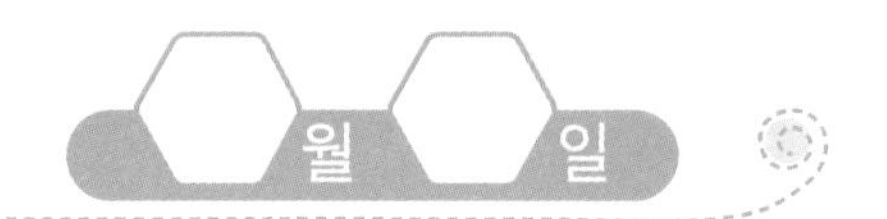

물을 가장 많이 담을 수 있는 것부터 차례로 번호를 써 보세요.

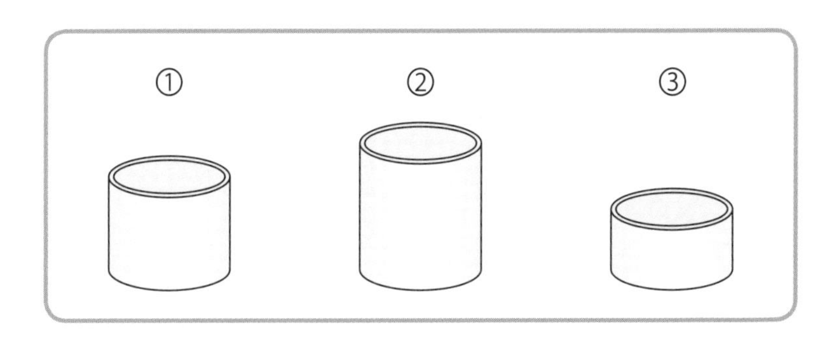

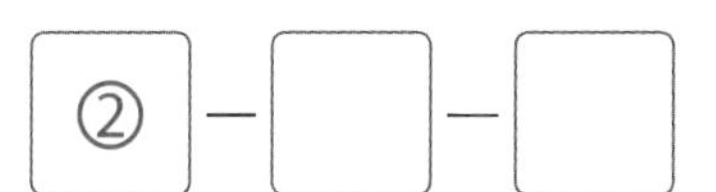

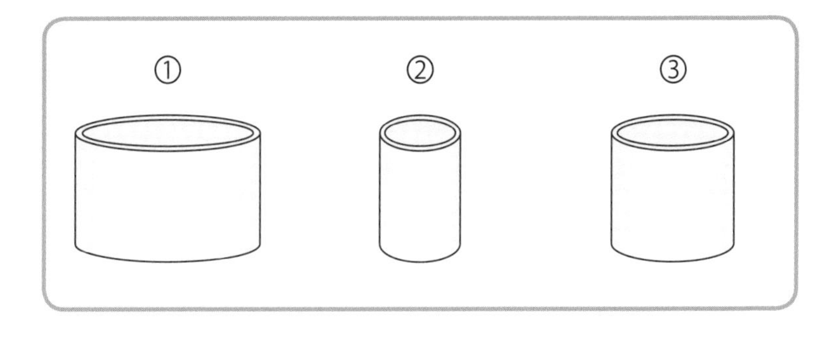

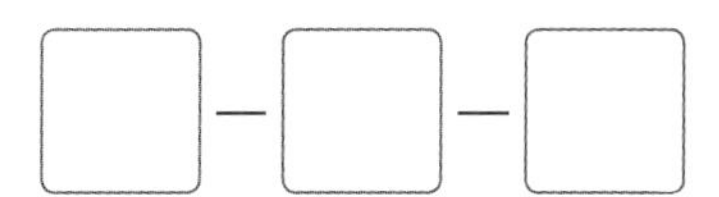

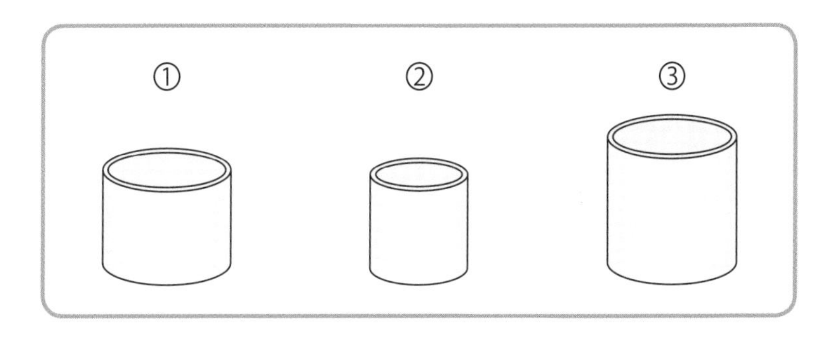

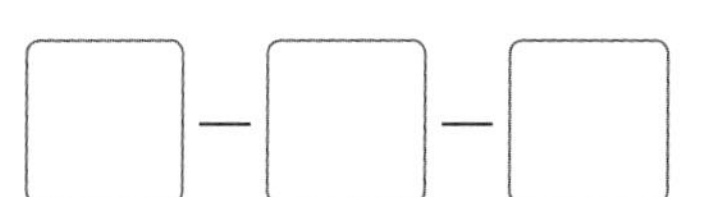

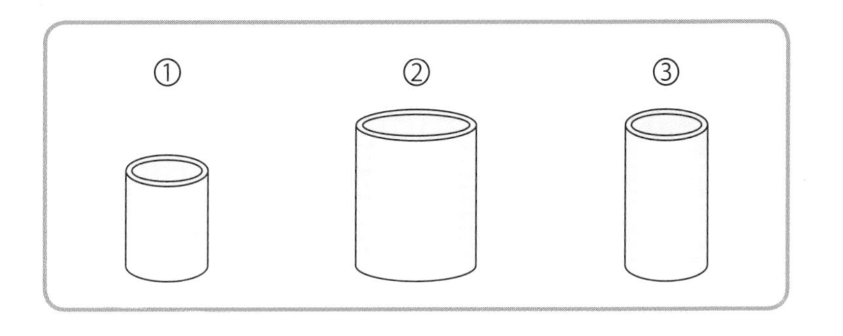

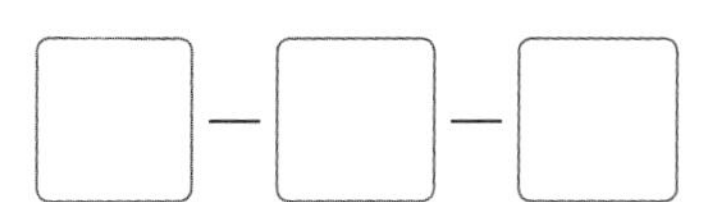

58일 담긴 물의 양

물이 가장 많이 담긴 것부터 차례로 1, 2, 3을 써 보세요.

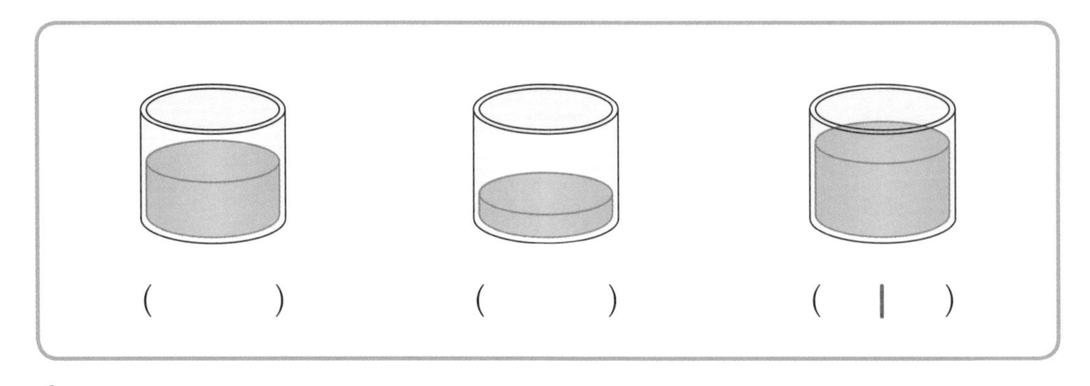

컵의 크기와 상관없이 담긴 물의 양만 비교합니다.

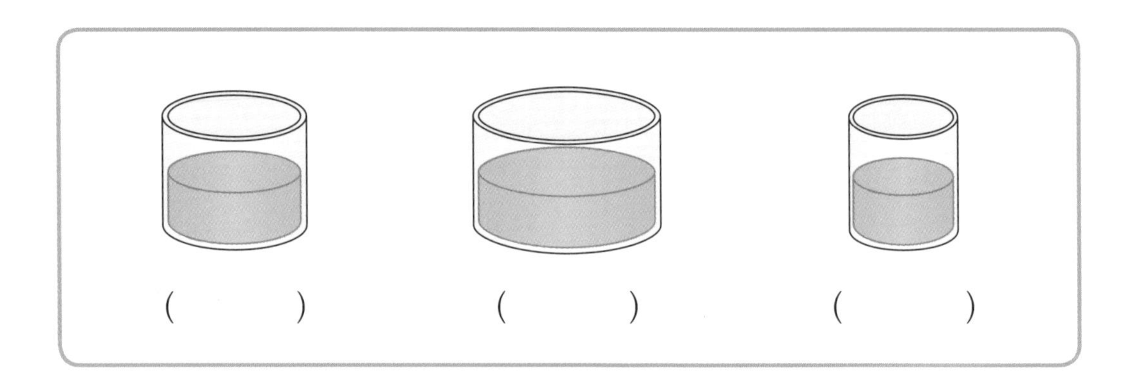

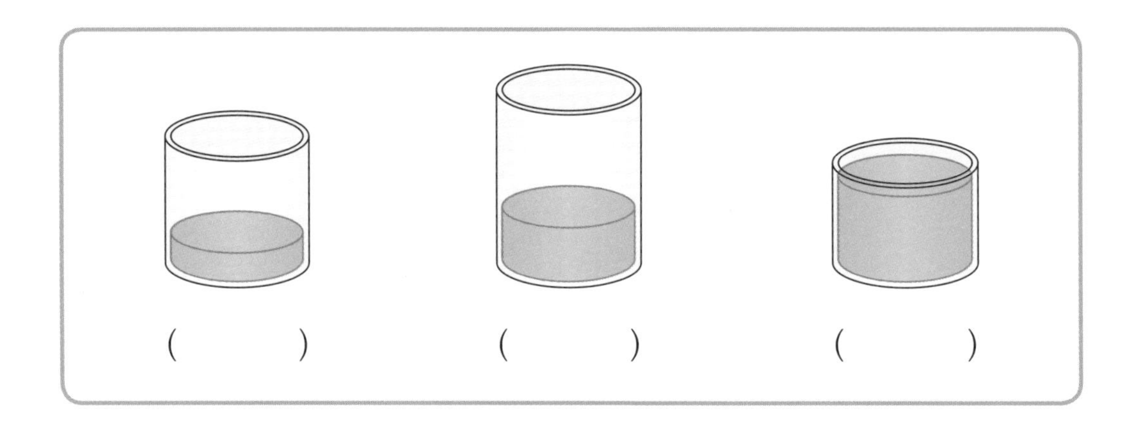

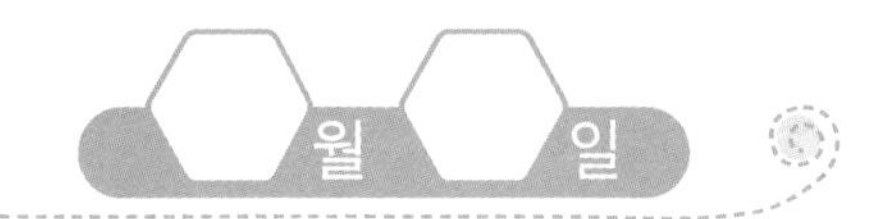

11 왼쪽 컵에 담긴 물보다 물이 더 많이 담긴 것에 모두 ◯표 하세요.

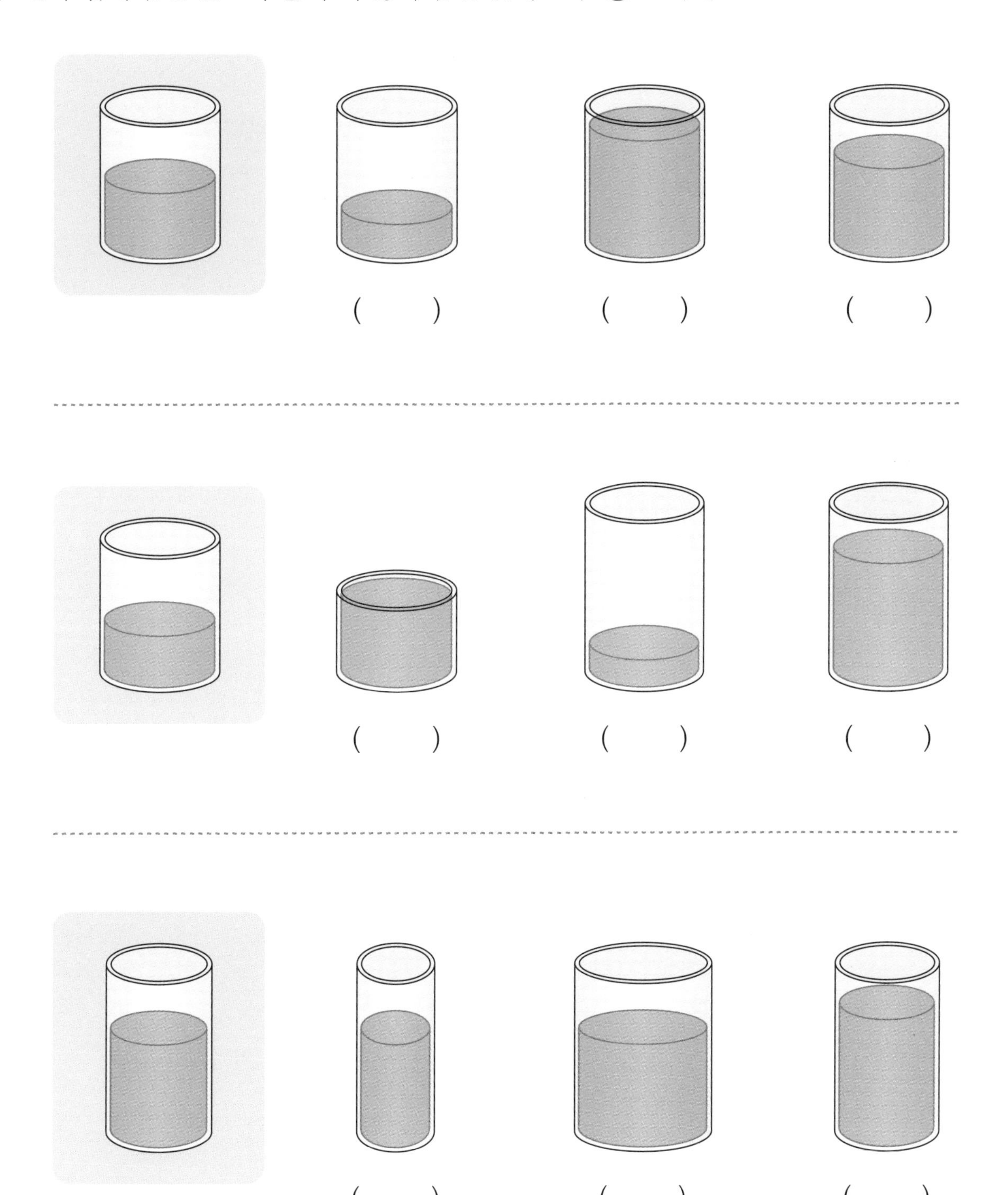

59일 비교하여 말하기

1 빈칸에 알맞은 말을 써넣으세요.

[ ]은 [ ]보다 더 많이 담을 수 있습니다.

[ ]은 [ ]보다 더 적게 담을 수 있습니다.

[ ]의 양이 [ ]의 양보다 더 많습니다.

[ ]의 양이 [ ]의 양보다 더 적습니다.

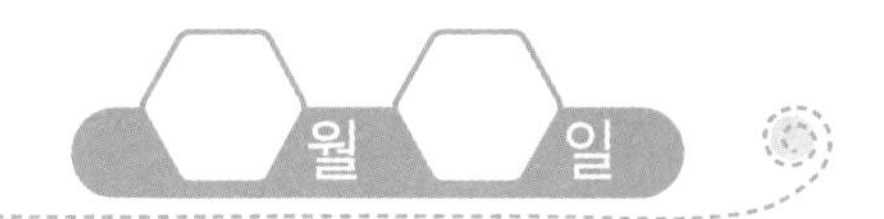

알맞은 말에 ◯표 하고, 빈칸에 알맞은 말을 써넣으세요.

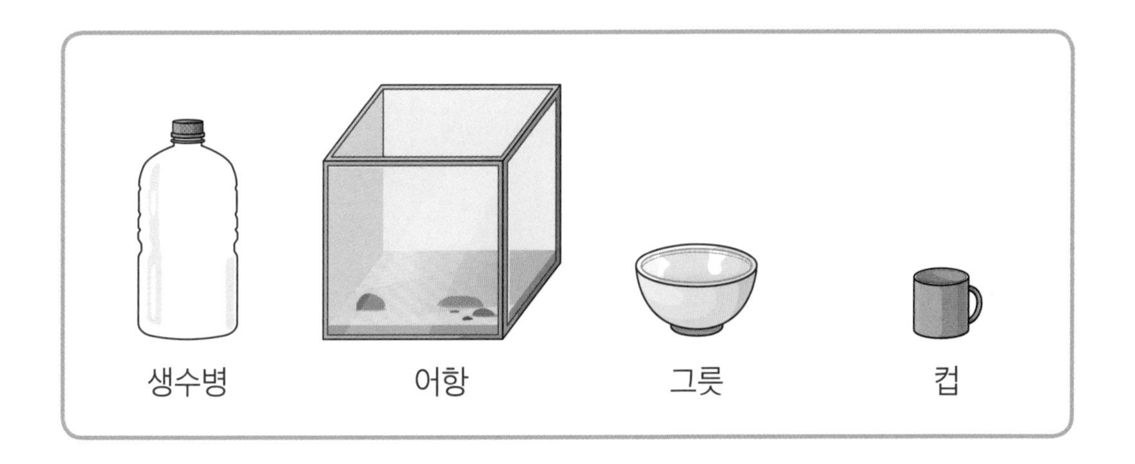

생수병은 그릇보다 담을 수 있는 양이 더 (많습니다 , 적습니다).

컵은 생수병보다 담을 수 있는 양이 더 (많습니다 , 적습니다).

그릇은 어항보다 담을 수 있는 양이 더 (많습니다 , 적습니다).

담을 수 있는 양이 가장 많은 것은 [ ] 입니다.

담을 수 있는 양이 가장 적은 것은 [ ] 입니다.

60일 길이, 높이, 넓이, 들이

1 알맞게 이어 보세요.

토끼 귀는 강아지 귀보다 길이가 •	• 더 넓습니다.
공책은 수첩보다 넓이가 •	• 더 깁니다.
그릇은 국자보다 담을 수 있는 양이 •	• 더 많습니다.

영우는 진아보다 키가 •	• 더 짧습니다.
손목시계는 줄자보다 길이가 더 •	• 더 낮습니다.
학교는 아파트보다 높이가 더 •	• 더 작습니다.

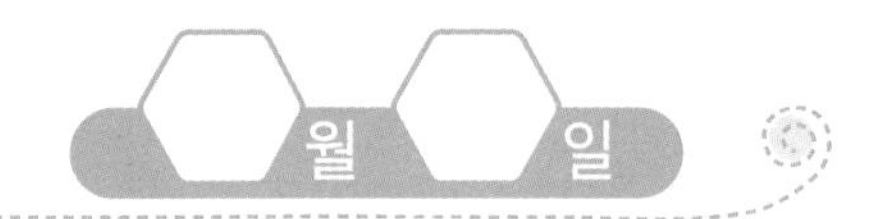

알맞은 말에 ◯표 하세요.

나무의 높이는 집의 높이보다 더 (깁니다 , 높습니다 , 많습니다).

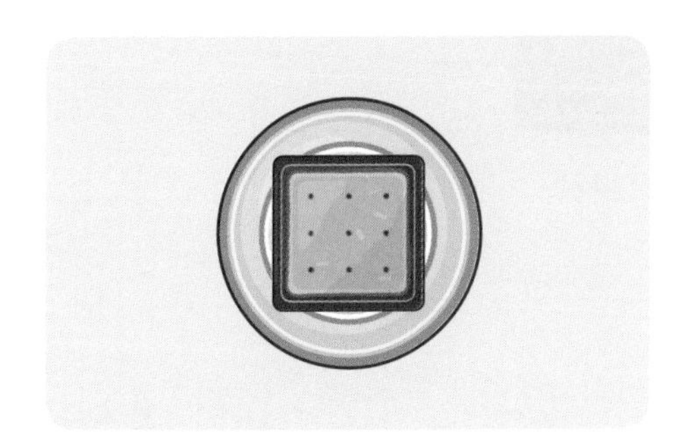

접시의 넓이는 쿠키의 넓이보다 더 (많습니다 , 깁니다 , 넓습니다).

곰의 키는 기린의 키보다 더 (좁습니다 , 작습니다 , 적습니다).

주어진 말 중에서 알맞은 말을 골라 빈칸에 써넣으세요.

깁니다	많습니다	높습니다	큽니다	넓습니다
작습니다	짧습니다	적습니다	좁습니다	낮습니다

휴대전화는 공책보다 넓이가

더 [　　　　].

선우는 지유보다 키가

더 [　　　　].

컵은 주전자보다 담을 수 있는 양이

더 [　　　　].

도형 플러스+

- 물 담기 -

마시고 남은 양

컵에 주스를 가득 따른 다음 주스를 마시고 남은 양입니다. 주스를 더 많이 마신 컵에 ○표 하세요.

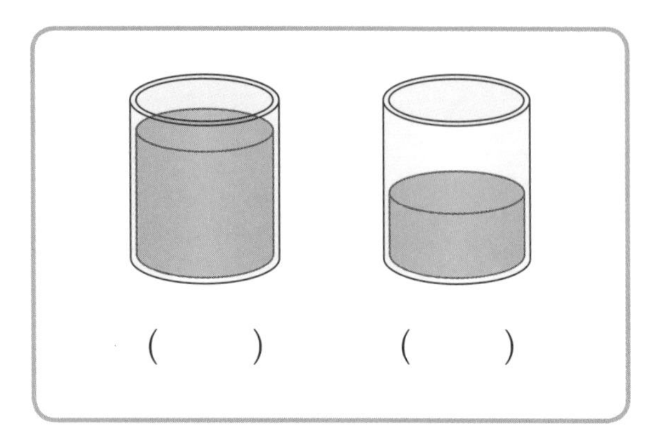

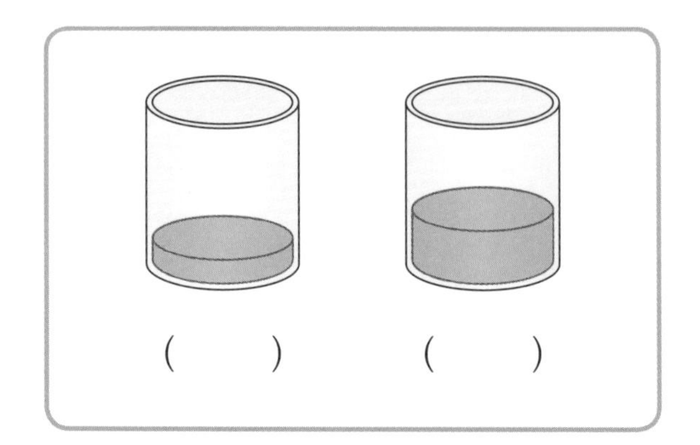

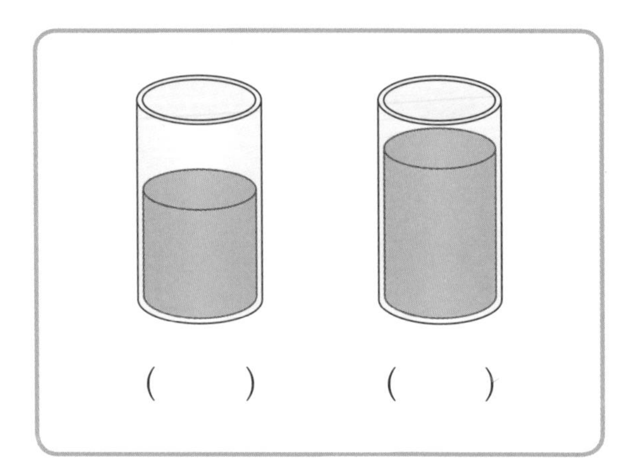

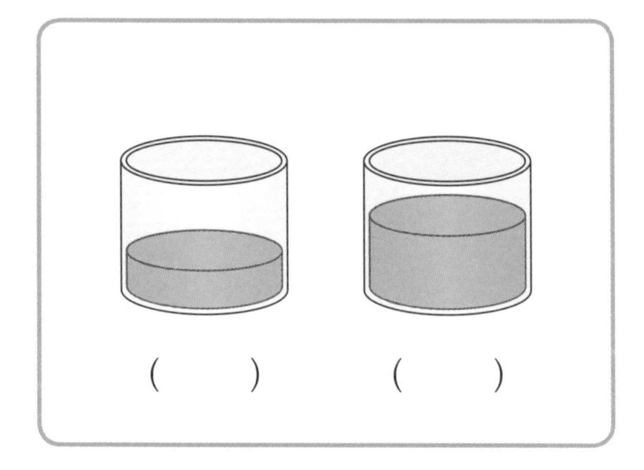

마시고 남은 양

크기가 같은 컵에 주스를 가득 따른 다음 얼마만큼 마십니다.
이때 주스가 적게 남을수록 많이 마신 것입니다.

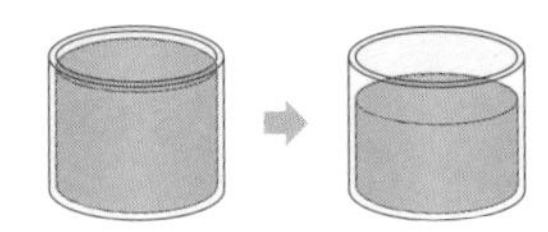

절반보다 적게 마셨습니다.

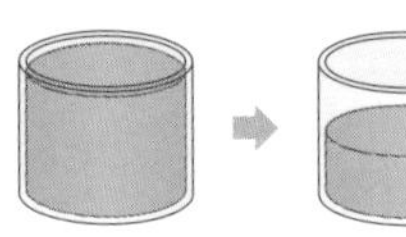

절반만큼 마셨습니다.

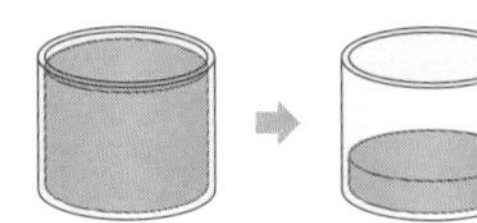

절반보다 많이 마셨습니다.

컵에 주스를 가득 따른 다음 주스를 마시고 남은 양입니다. 물음에 답하세요.

주스를 가장 많이 마신 사람은 누구일까요?

민우 지안 해수

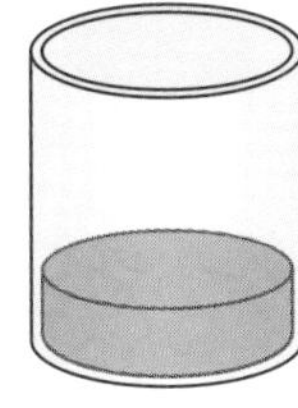
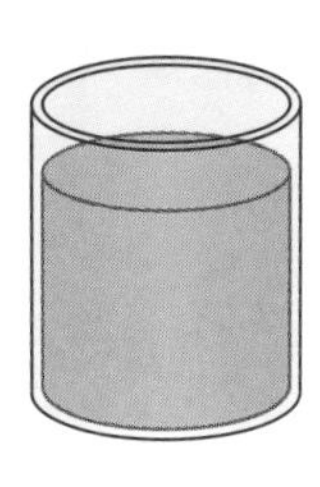

(　　　　　　)

주스를 가장 적게 마신 사람은 누구일까요?

지호 윤서 민준

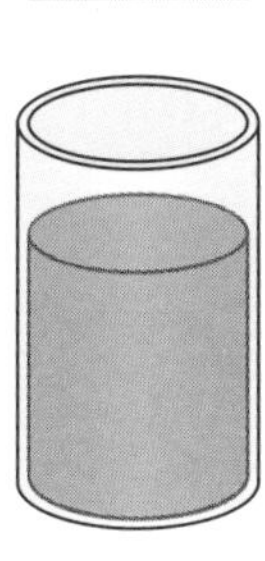
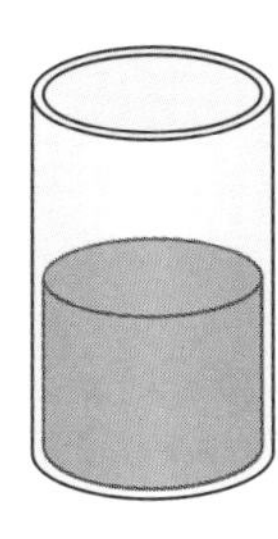
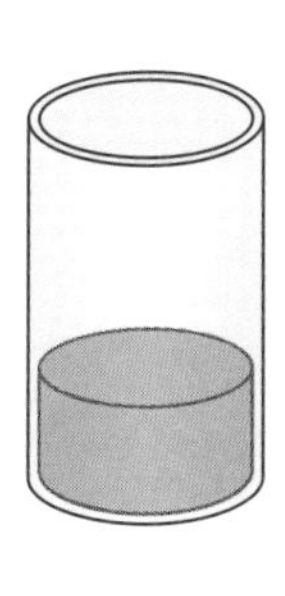

(　　　　　　)

빨리 담기

수도꼭지에서 똑같은 양의 물이 나오고 있습니다. 물을 더 빨리 받을 수 있는 것에 ◯표 하세요.

(　　)　(　　)

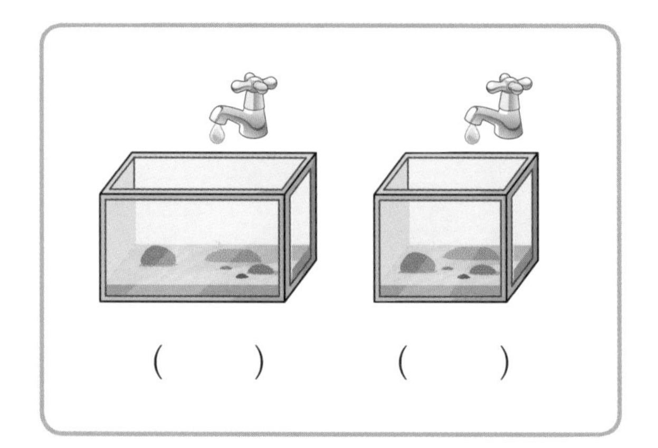

(　　)　(　　)

(　　)　(　　)

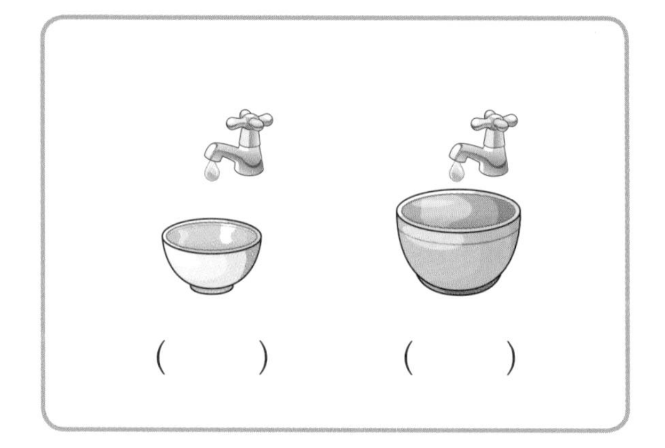

(　　)　(　　)

컵에 물 받기

수도꼭지에서 똑같은 양의 물이 나온다면 컵이 작을수록 물을 더 빨리 가득 채울 수 있습니다.

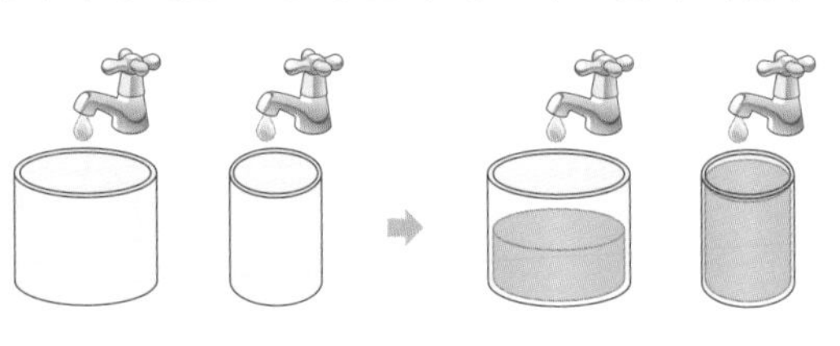

작은 컵에 먼저 물이 가득 찹니다.

컵 **가**와 **나**에 똑같은 양의 물을 동시에 받기 시작합니다. (   ) 안에 **가** 또는 **나**를 써넣으세요.

컵 **가**에 물이 가득 찼을 때 컵 **나**에는 물이 절반만 찼습니다.

컵 **가**에 물이 가득 찼을 때 컵 **나**에는 물이 넘치고 있습니다.

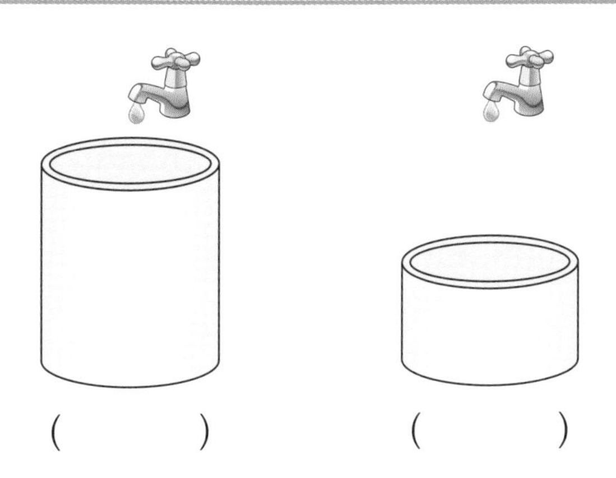

PLUS 3 옮겨 담기

물을 옮겨 담으면 어떻게 될지 그려 보세요.

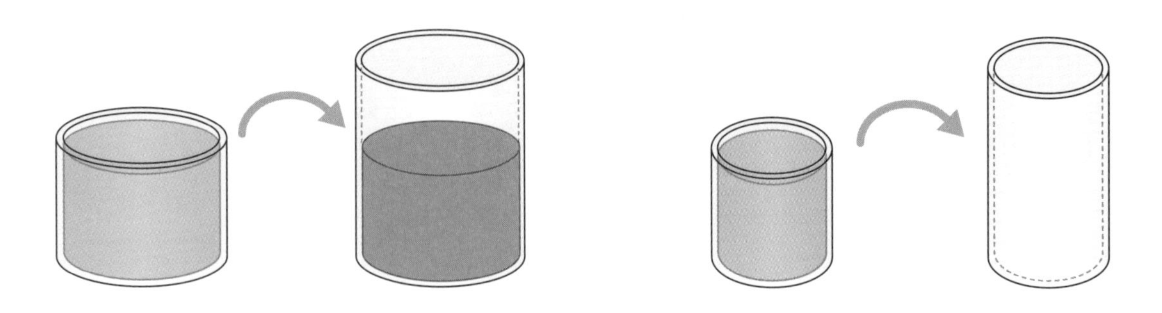

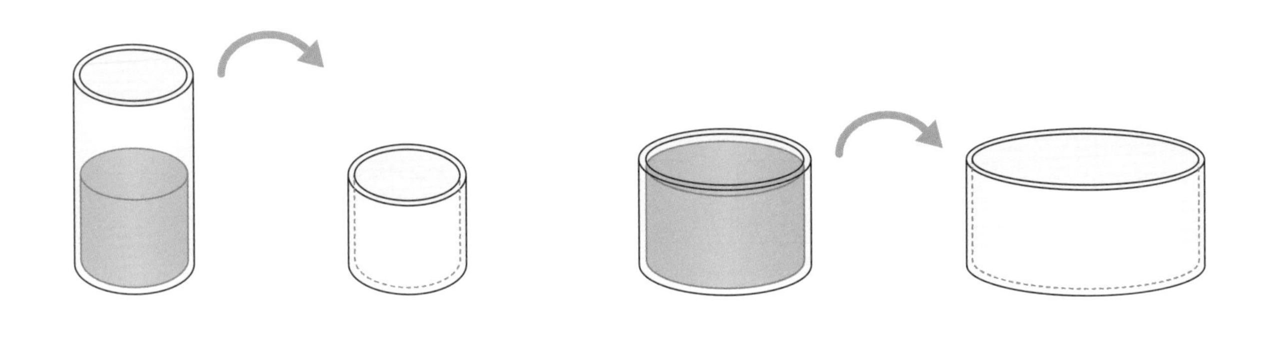

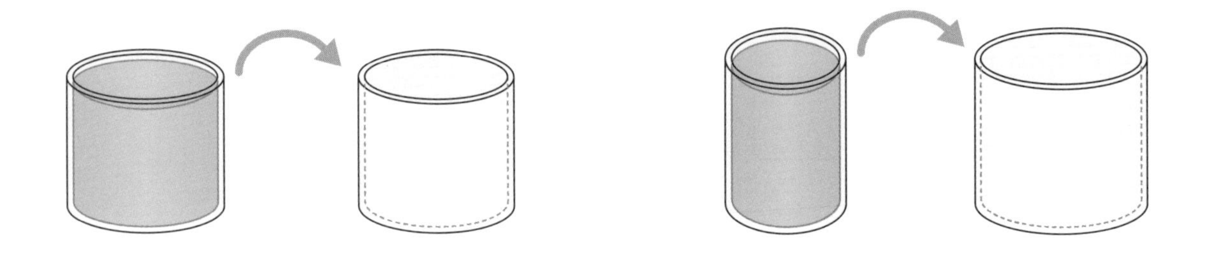

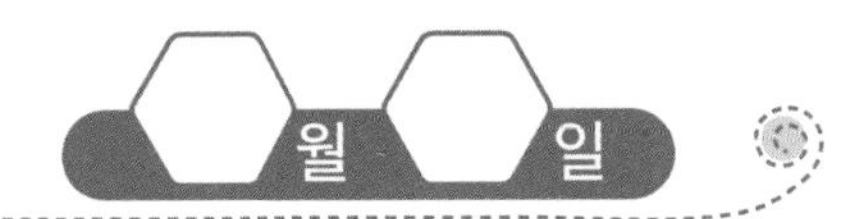

( ) 안에 **가** 또는 **나**를 써넣으세요.

컵 **가**에 물을 가득 채워 컵 **나**에 옮겨 담았더니 컵 **나**에 물이 넘쳤습니다.

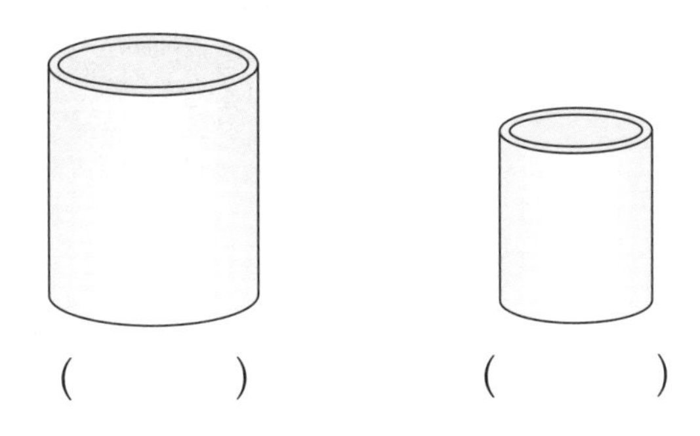

( ) ( )

컵 **가**에 물을 가득 채워 컵 **나**에 옮겨 담았더니 컵 **나**에 물이 절반만 찼습니다.

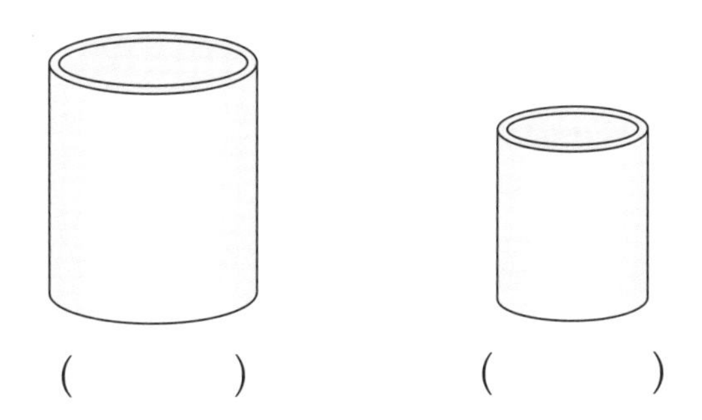

( ) ( )

memo

형성평가

형성평가 1회

1 더 짧은 것에 △표 하세요.

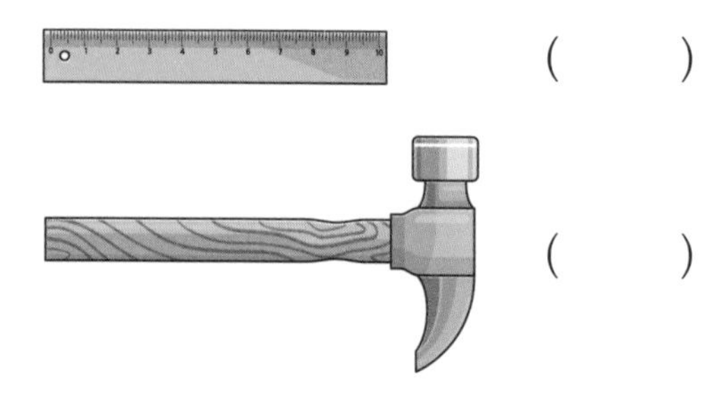

2 가장 높은 것부터 차례로 1, 2, 3을 써 보세요.

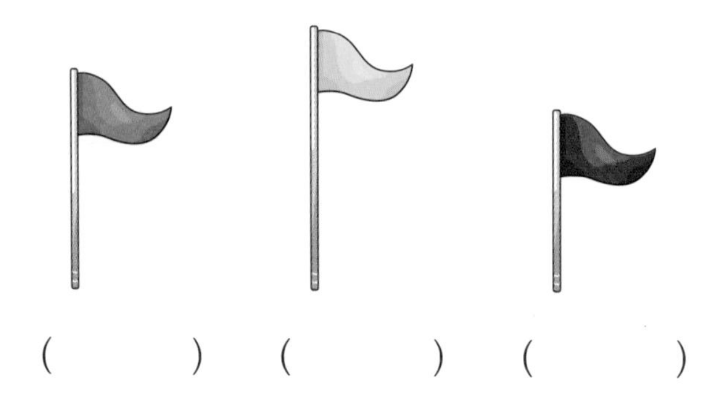

3 빈칸에 알맞은 말을 써넣으세요.

☐은 ☐보다 담을 수 있는 양이 더 많습니다.

4 왼쪽 모양보다 더 넓은 모양에 ◯표 하세요.

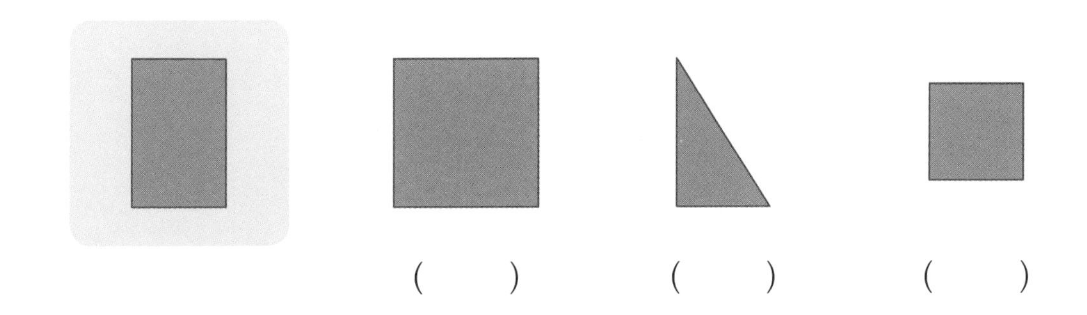

( ) ( ) ( )

5 비교하는 말을 알맞게 써넣으세요.

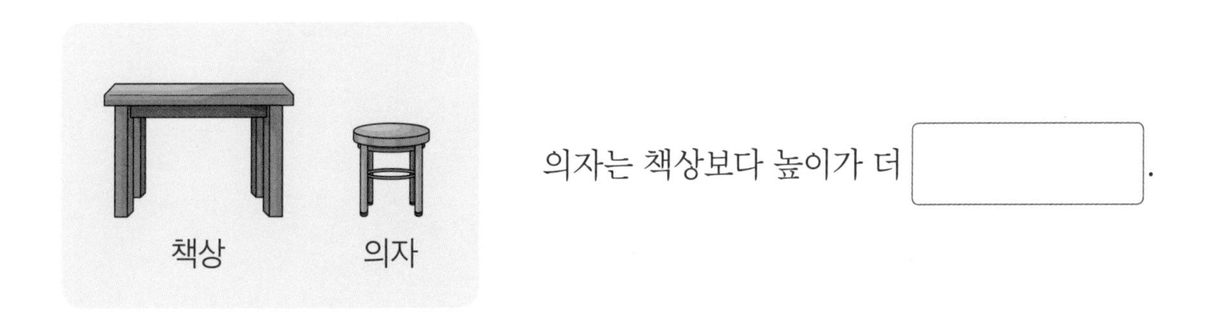

의자는 책상보다 높이가 더 [ ].

6 높이가 다른 받침대 위에 섰더니 머리 끝의 위치가 같았습니다. 키가 가장 큰 친구는 누구일까요?

( )

형성평가 2회

1 더 좁은 것에 △표 하세요.

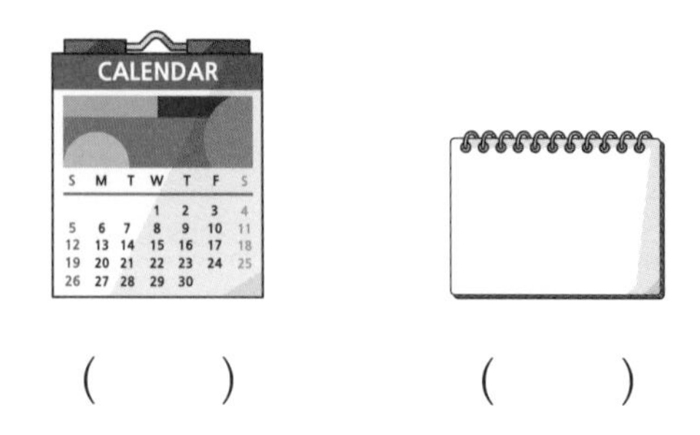

(   )   (   )

2 물을 가장 많이 담을 수 있는 컵에 ○표, 가장 적게 담을 수 있는 컵에 △표 하세요.

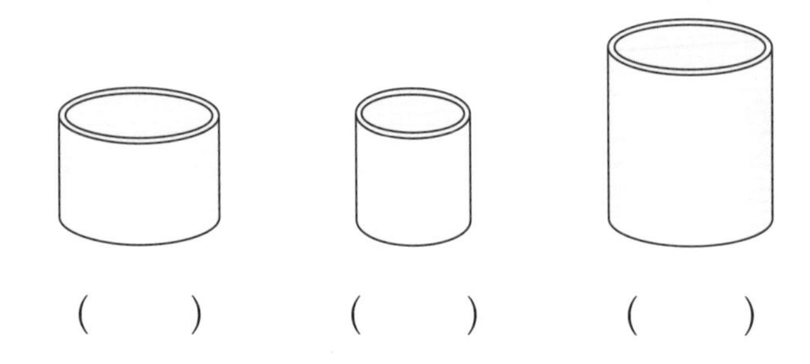

(   )   (   )   (   )

3 ■ 모양 위에 ● 모양을 그렸습니다. 알맞은 말에 ○표 하세요.

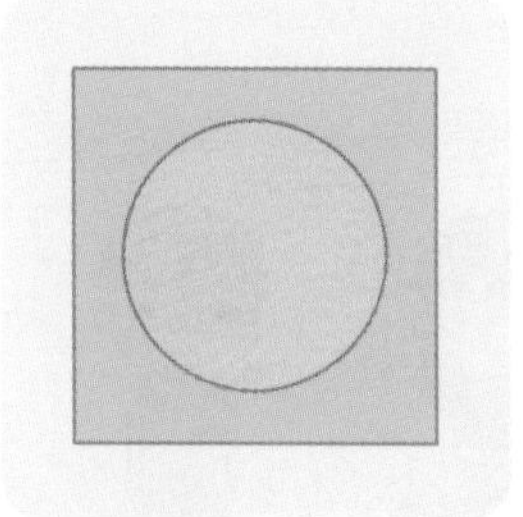

(■ , ●) 모양은 (■ , ●) 모양보다 더 넓습니다.

4 점선을 따라 색종이를 잘랐습니다. 가장 넓은 것부터 차례로 번호를 써 보세요.

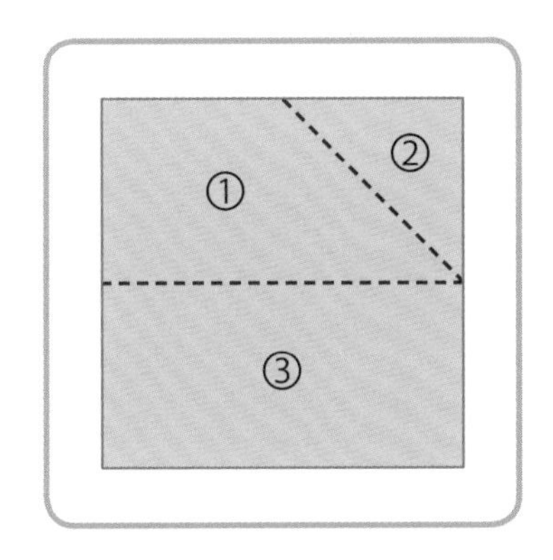

5 쌓기나무를 가장 높이 쌓은 것에 ○표, 가장 낮게 쌓은 것에 △표 하세요.

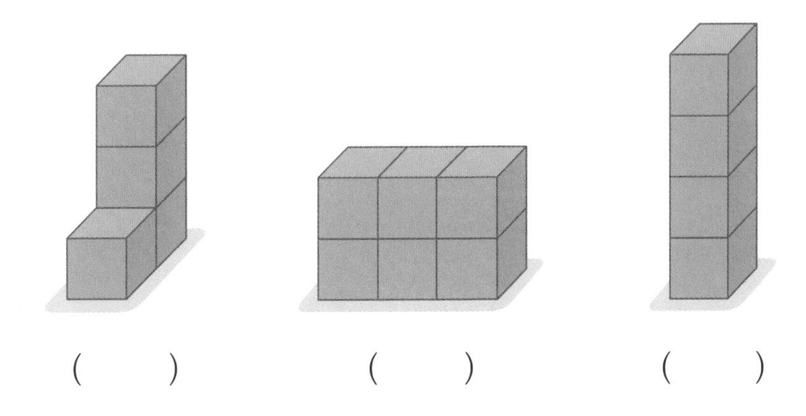

(　　)　(　　)　(　　)

6 가장 긴 것부터 차례로 번호를 써 보세요.

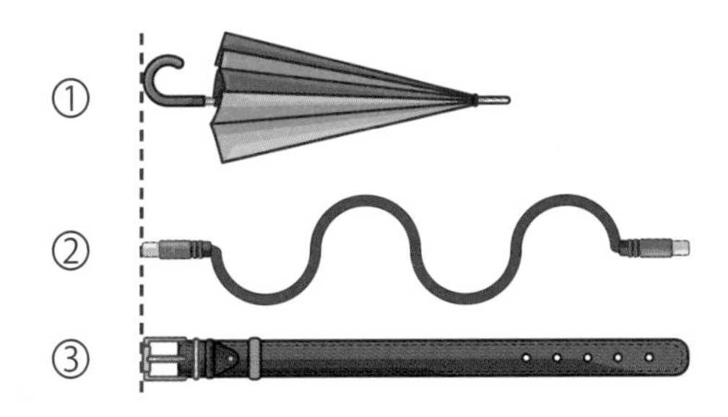

□ – □ – □

memo

하루 한 장 60일 집중 완성

교과도형

7세~초1

P3

비교하기

정 답

P3

비교하기

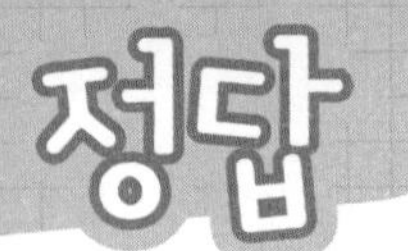

1주차 길이 비교

8쪽·9쪽

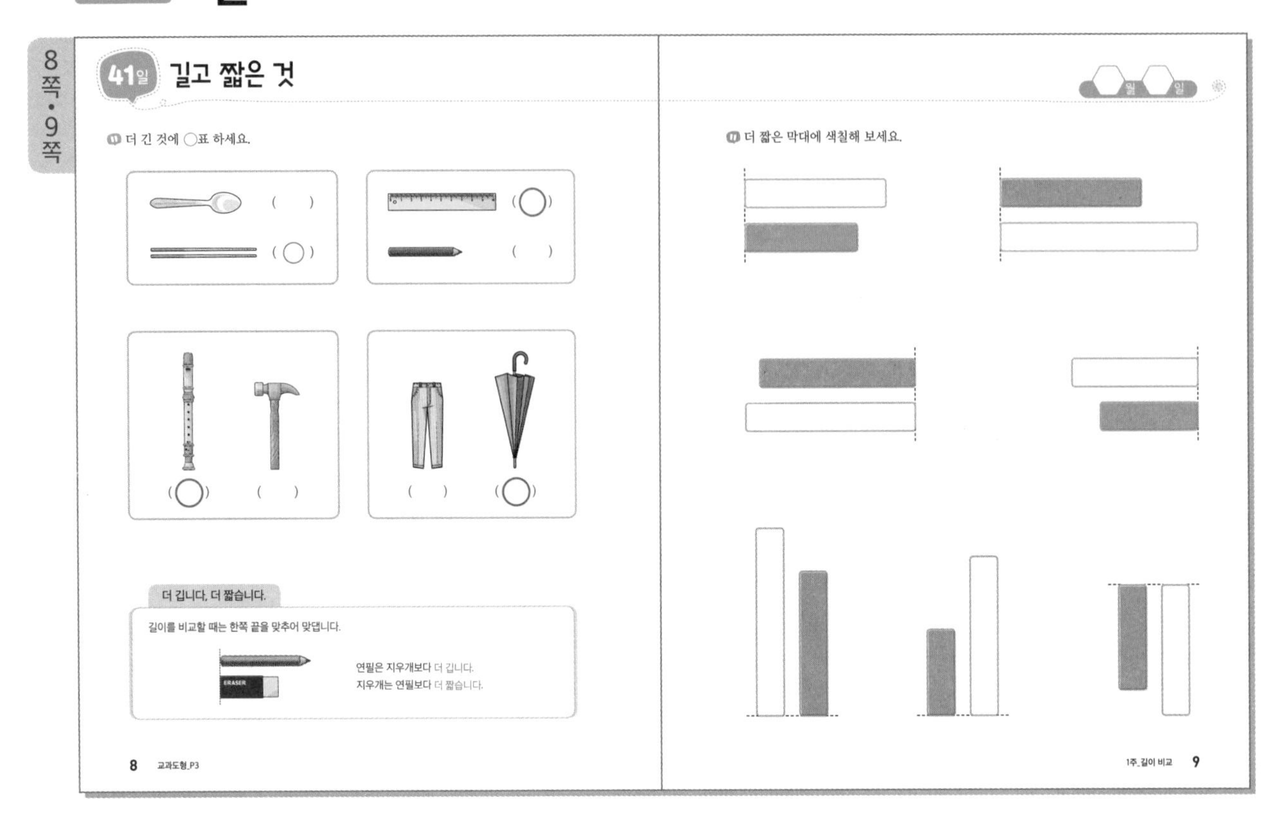

41일 길고 짧은 것

더 긴 것에 ○표 하세요.

( ) (○)

(○) ( )

(○) ( )

( ) (○)

더 깁니다, 더 짧습니다.

길이를 비교할 때는 한쪽 끝을 맞추어 맞댑니다.

ERASER

연필은 지우개보다 더 깁니다.
지우개는 연필보다 더 짧습니다.

8 교과도형_P3

월 일

더 짧은 막대에 색칠해 보세요.

1주_길이 비교 9

10쪽·11쪽

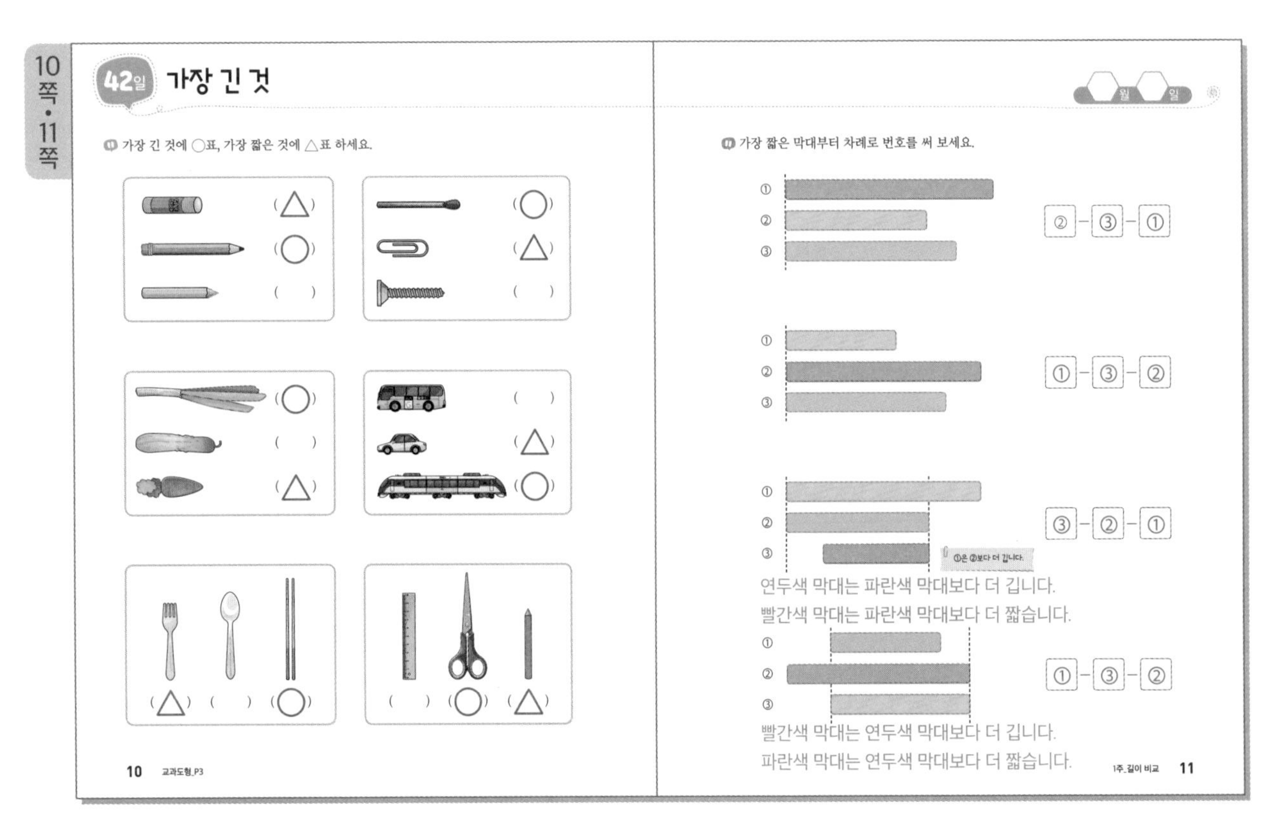

42일 가장 긴 것

가장 긴 것에 ○표, 가장 짧은 것에 △표 하세요.

(△) (○) ( ) | (○) (△) ( )

(○) ( ) (△) | ( ) (△) (○)

(△) ( ) (○) | ( ) (○) (△)

월 일

가장 짧은 막대부터 차례로 번호를 써 보세요.

① ② ③ — ②-③-①

① ② ③ — ①-③-②

① ② ③ — ③-②-①

①은 ②보다 더 깁니다.

연두색 막대는 파란색 막대보다 더 깁니다.
빨간색 막대는 파란색 막대보다 더 짧습니다.

① ② ③ — ①-③-②

빨간색 막대는 연두색 막대보다 더 깁니다.
파란색 막대는 연두색 막대보다 더 짧습니다.

10 교과도형_P3

1주_길이 비교 11

12쪽·13쪽

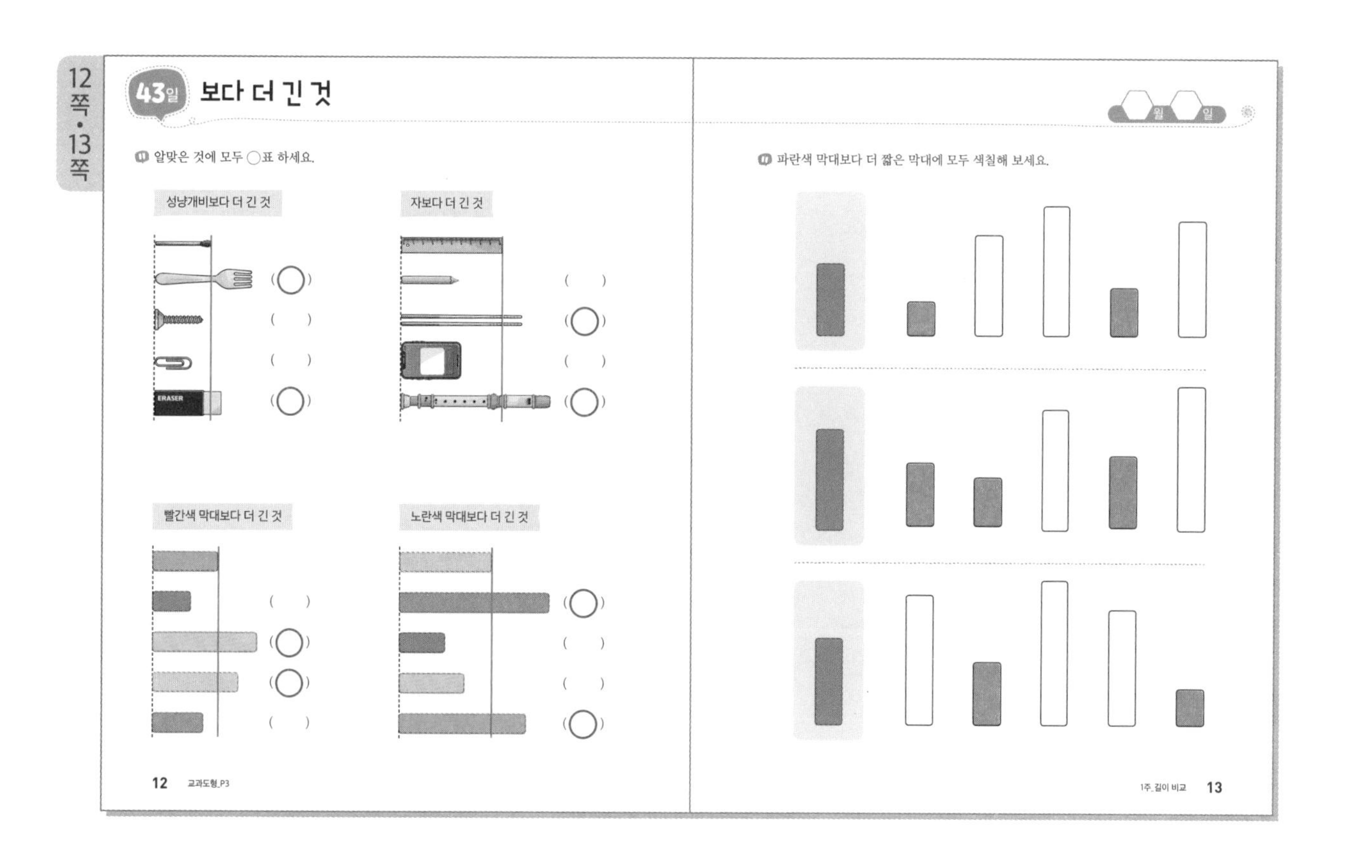

43일 보다 더 긴 것

월 일

11 알맞은 것에 모두 ◯표 하세요.

성냥개비보다 더 긴 것

(◯)
( )
( )
(◯)

자보다 더 긴 것

( )
(◯)
( )
(◯)

빨간색 막대보다 더 긴 것

( )
(◯)
(◯)
( )

노란색 막대보다 더 긴 것

(◯)
( )
( )
(◯)

12 교과도형_P3

12 파란색 막대보다 더 짧은 막대에 모두 색칠해 보세요.

1주_길이 비교 13

14쪽·15쪽

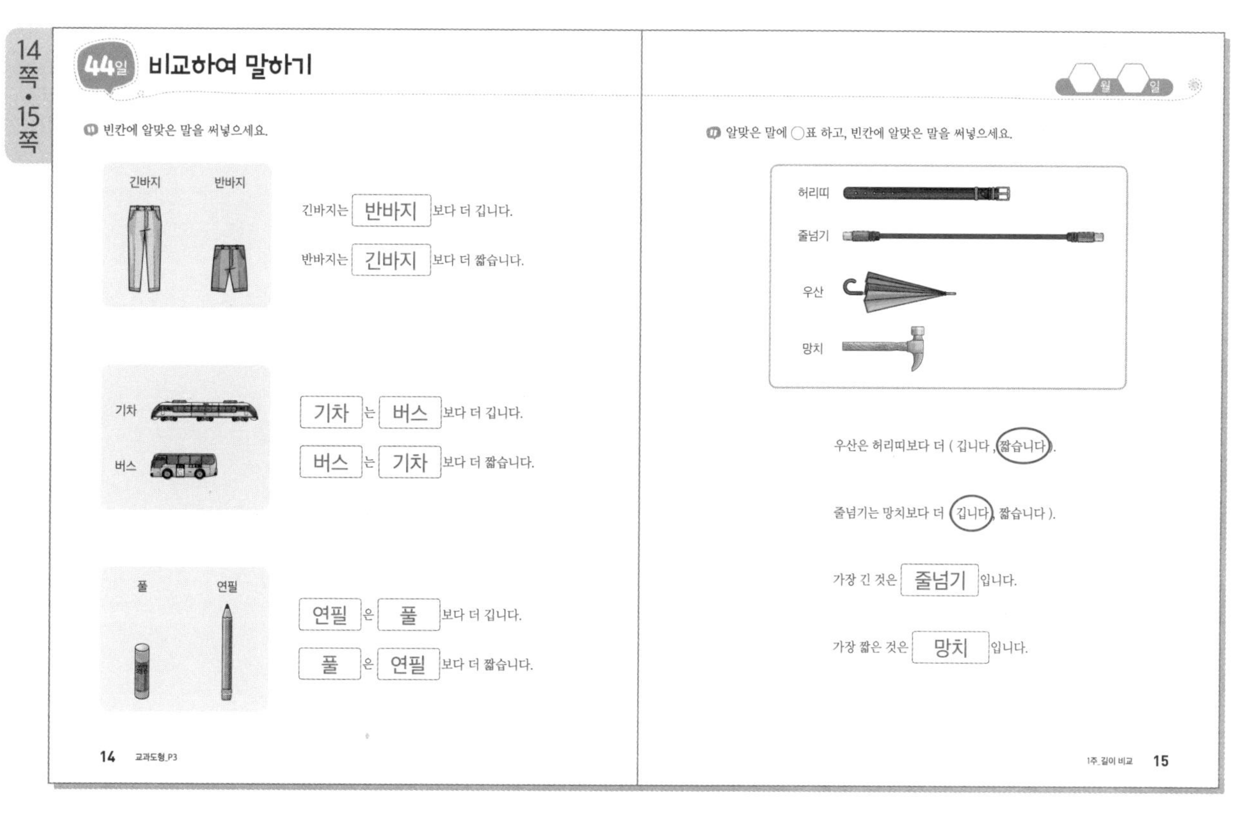

44일 비교하여 말하기

월 일

11 빈칸에 알맞은 말을 써넣으세요.

긴바지는 반바지 보다 더 깁니다.

반바지는 긴바지 보다 더 짧습니다.

기차 는 버스 보다 더 깁니다.

버스 는 기차 보다 더 짧습니다.

연필 은 풀 보다 더 깁니다.

풀 은 연필 보다 더 짧습니다.

14 교과도형_P3

12 알맞은 말에 ◯표 하고, 빈칸에 알맞은 말을 써넣으세요.

우산은 허리띠보다 더 (깁니다 , (짧습니다)).

줄넘기는 망치보다 더 ((깁니다) , 짧습니다).

가장 긴 것은 줄넘기 입니다.

가장 짧은 것은 망치 입니다.

1주_길이 비교 15

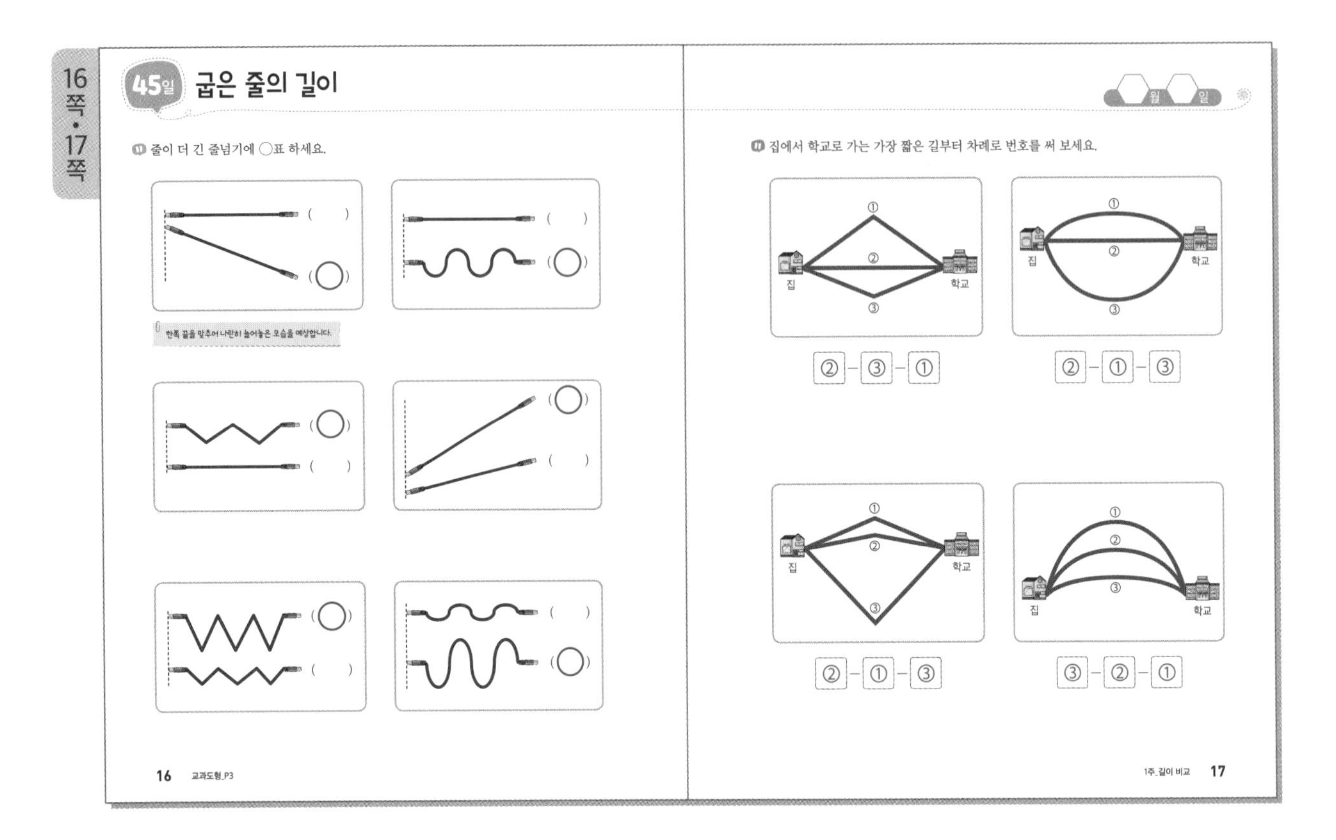
16쪽·17쪽

45일 굽은 줄의 길이

월 일

줄이 더 긴 줄넘기에 ○표 하세요.

한쪽 끝을 맞추어 나란히 놓여놓은 모습을 예상합니다.

집에서 학교로 가는 가장 짧은 길부터 차례로 번호를 써 보세요.

②-③-①

②-①-③

②-①-③

③-②-①

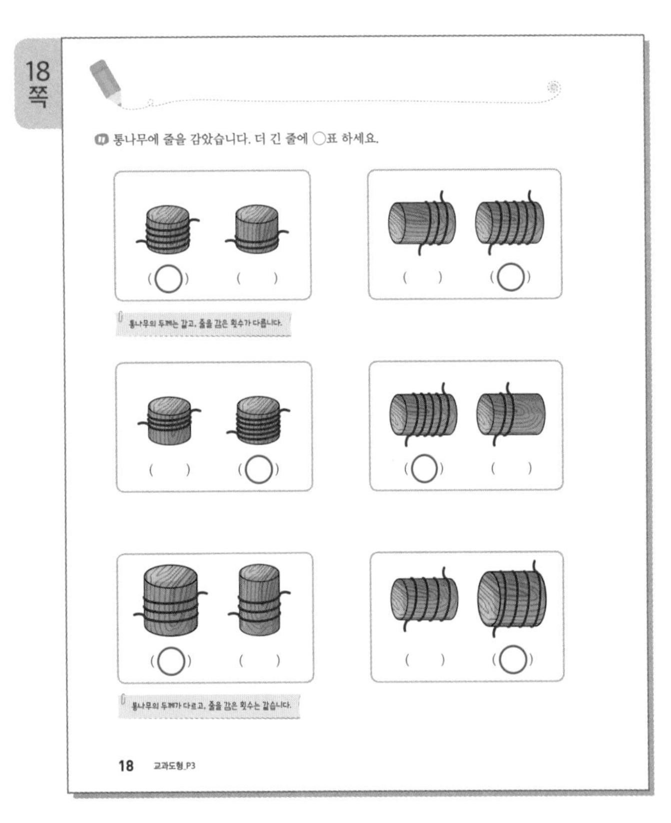
18쪽

통나무에 줄을 감았습니다. 더 긴 줄에 ○표 하세요.

통나무의 두께는 같고, 줄을 감은 횟수가 다릅니다.

통나무의 두께가 다르고, 줄을 감은 횟수는 같습니다.

2주차 높이 비교

20쪽·21쪽

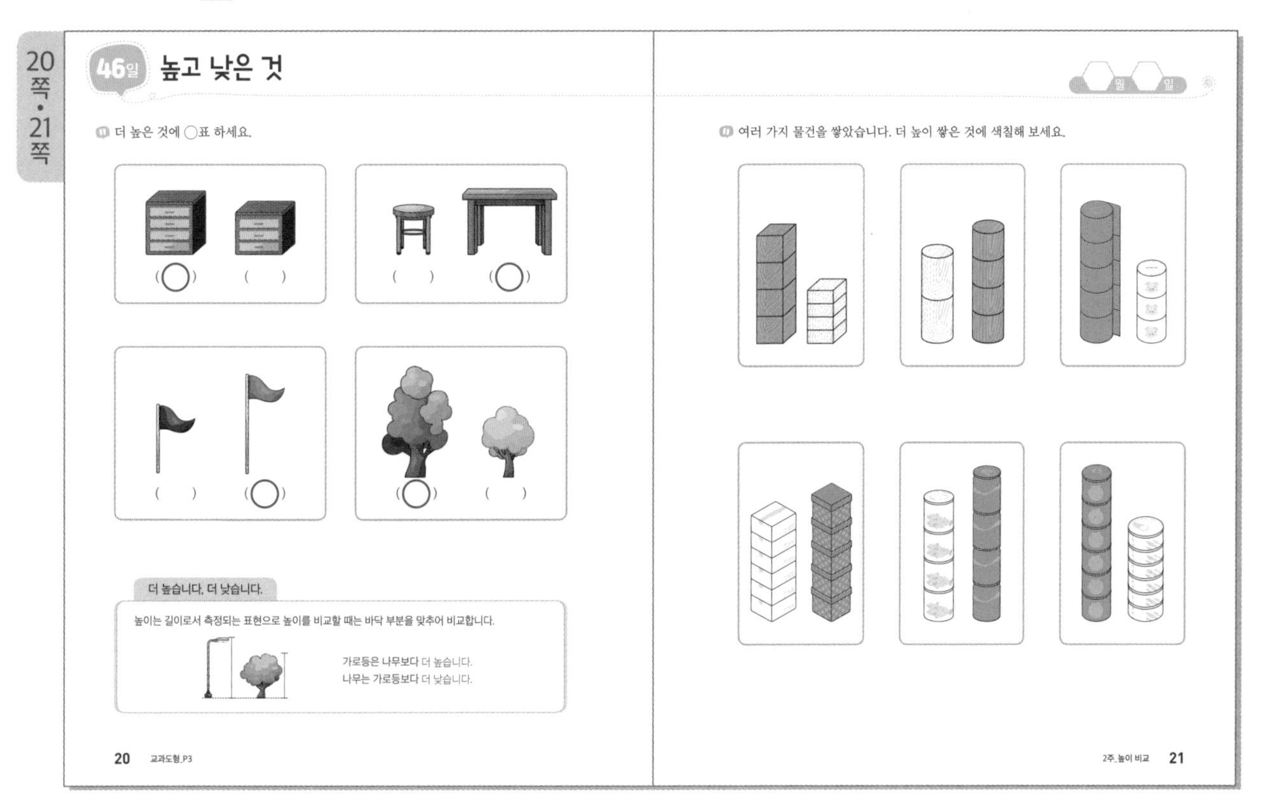

46일 높고 낮은 것
더 높은 것에 ○표 하세요.
(○) ( )
( ) (○)
( ) (○)
(○) ( )
더 높습니다, 더 낮습니다
높이는 길이로서 측정되는 표현으로 높이를 비교할 때는 바닥 부분을 맞추어 비교합니다.
가로등은 나무보다 더 높습니다.
나무는 가로등보다 더 낮습니다.
20 교과도형_P3
월 일
여러 가지 물건을 쌓았습니다. 더 높이 쌓은 것에 색칠해 보세요.
2주_높이 비교 21

22쪽·23쪽

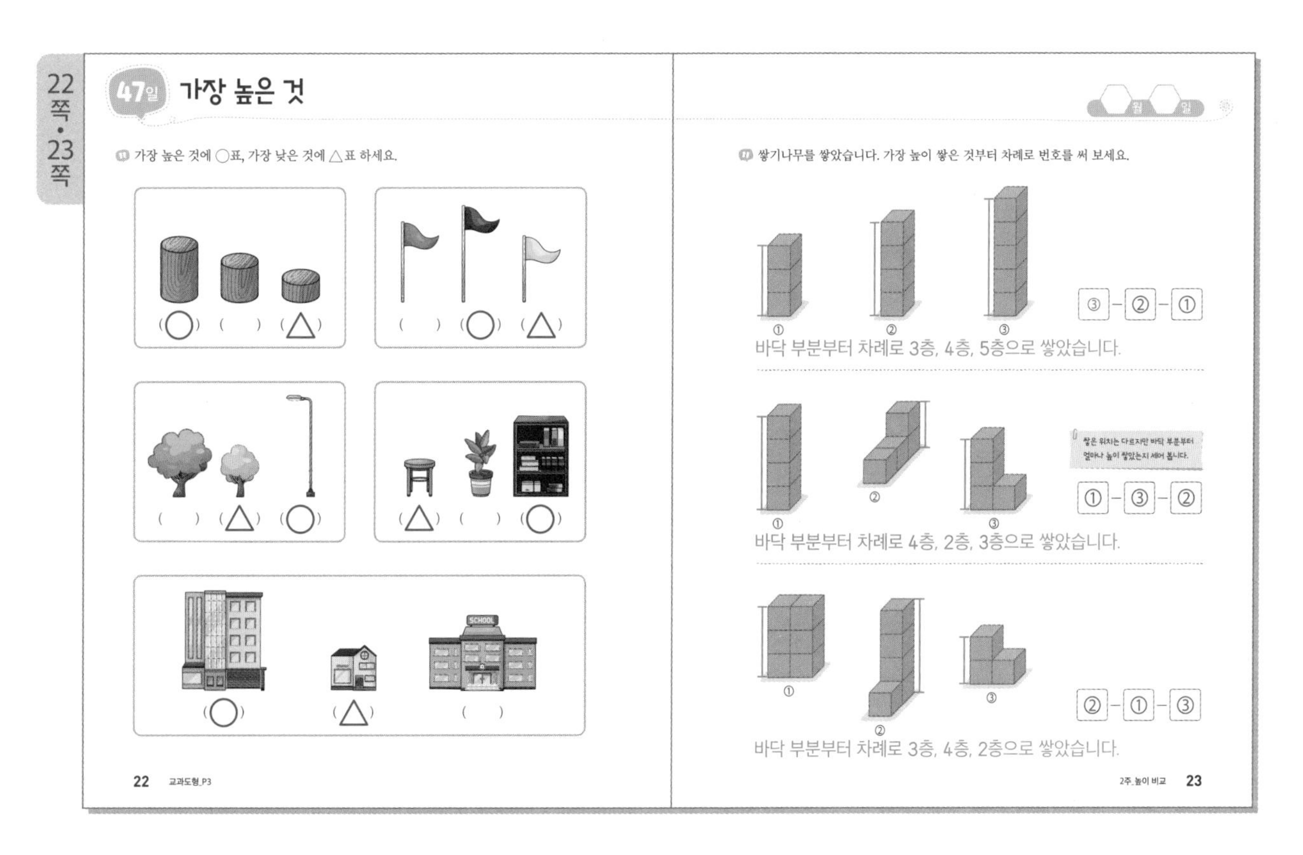

47일 가장 높은 것
가장 높은 것에 ○표, 가장 낮은 것에 △표 하세요.
(○) ( ) (△)
( ) (○) (△)
( ) (△) (○)
(△) ( ) (○)
SCHOOL
(○) (△) ( )
22 교과도형_P3
월 일
쌓기나무를 쌓았습니다. 가장 높이 쌓은 것부터 차례로 번호를 써 보세요.
③ - ② - ①
바닥 부분부터 차례로 3층, 4층, 5층으로 쌓았습니다.
쌓은 위치는 다르지만 바닥 부분부터 얼마나 높이 쌓았는지 세어 봅니다.
① - ③ - ②
바닥 부분부터 차례로 4층, 2층, 3층으로 쌓았습니다.
② - ① - ③
바닥 부분부터 차례로 3층, 4층, 2층으로 쌓았습니다.
2주_높이 비교 23

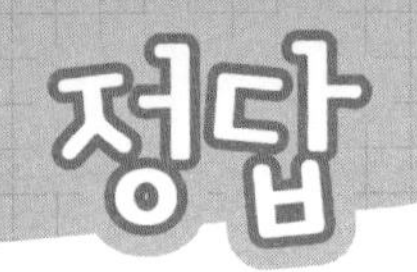

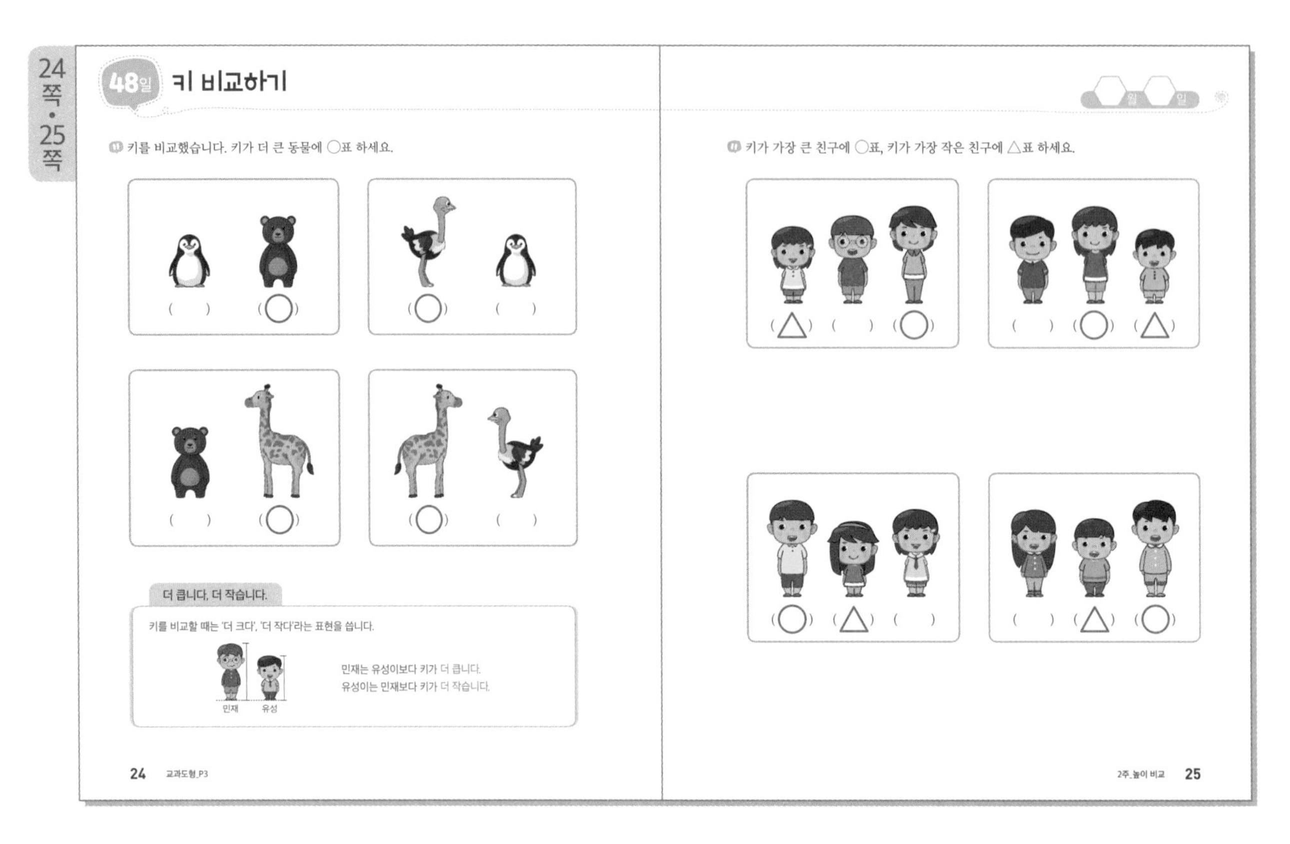

24쪽·25쪽

48일 키 비교하기

01 키를 비교했습니다. 키가 더 큰 동물에 ○표 하세요.

( ) (○) / (○) ( )

( ) (○) / (○) ( )

더 큽니다, 더 작습니다.

키를 비교할 때는 '더 크다', '더 작다'라는 표현을 씁니다.

민재는 유성이보다 키가 더 큽니다.
유성이는 민재보다 키가 더 작습니다.

민재 유성

02 키가 가장 큰 친구에 ○표, 키가 가장 작은 친구에 △표 하세요.

(△) ( ) (○) / ( ) (○) (△)

(○) (△) ( ) / ( ) (△) (○)

24 교과도형_P3 　 2주_높이 비교 25

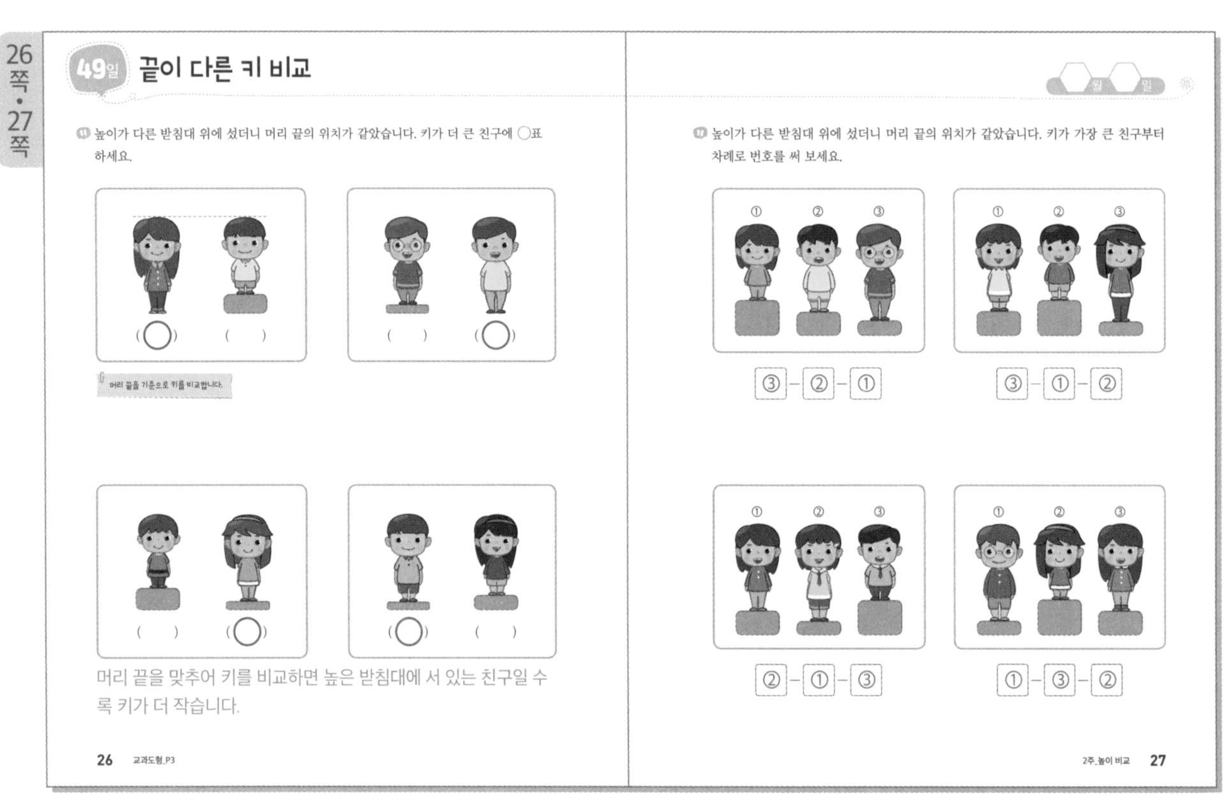

26쪽·27쪽

49일 끝이 다른 키 비교

01 높이가 다른 받침대 위에 섰더니 머리 끝의 위치가 같았습니다. 키가 더 큰 친구에 ○표 하세요.

(○) ( ) / ( ) (○)

머리 끝을 기준으로 키를 비교합니다.

( ) (○) / (○) ( )

머리 끝을 맞추어 키를 비교하면 높은 받침대에 서 있는 친구일 수록 키가 더 작습니다.

02 높이가 다른 받침대 위에 섰더니 머리 끝의 위치가 같았습니다. 키가 가장 큰 친구부터 차례로 번호를 써 보세요.

③-②-① / ③-①-②

②-①-③ / ①-③-②

26 교과도형_P3 　 2주_높이 비교 27

28쪽·29쪽

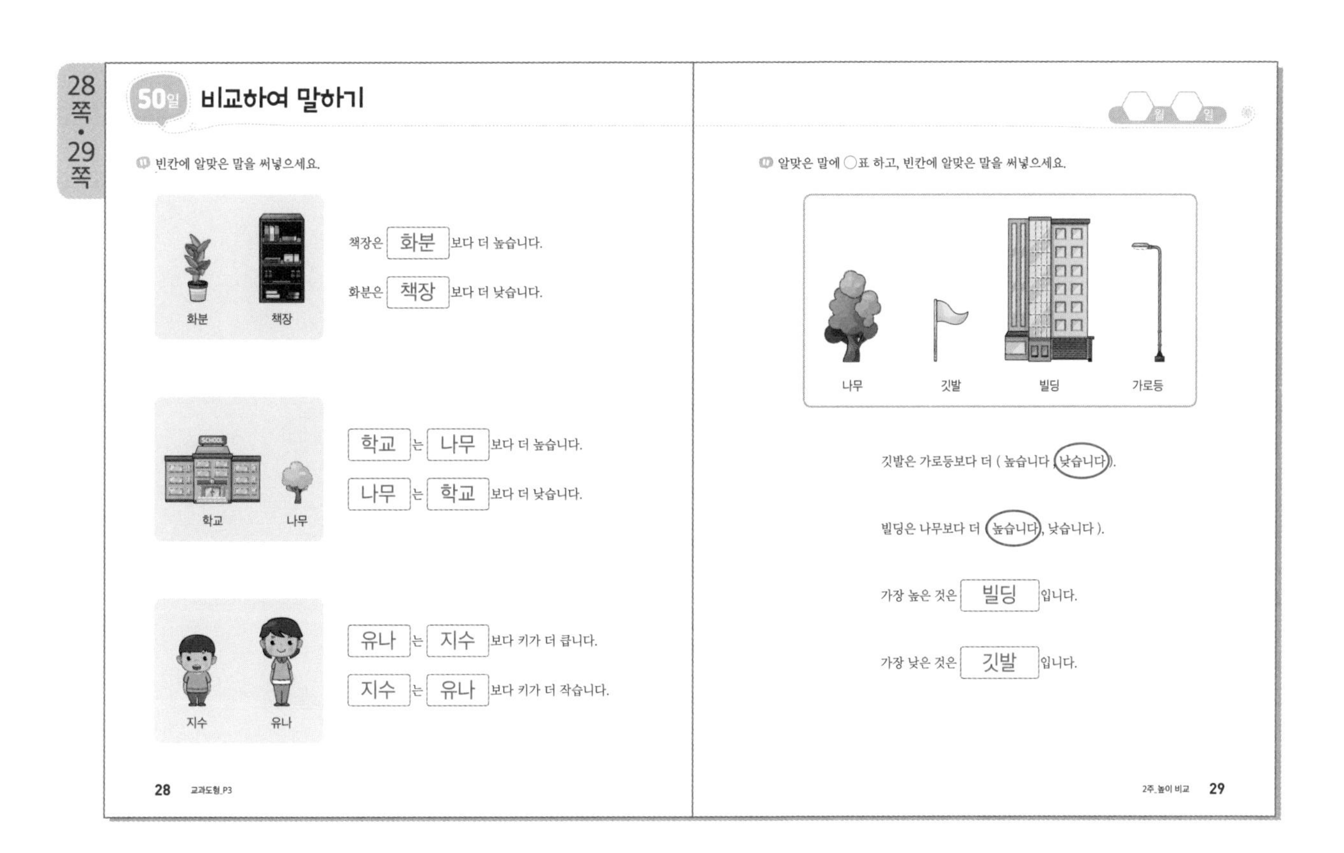

50일 비교하여 말하기

월 일

1. 빈칸에 알맞은 말을 써넣으세요.

화분 책장

책장은 화분 보다 더 높습니다.

화분은 책장 보다 더 낮습니다.

학교 나무

학교 는 나무 보다 더 높습니다.

나무 는 학교 보다 더 낮습니다.

지수 유나

유나 는 지수 보다 키가 더 큽니다.

지수 는 유나 보다 키가 더 작습니다.

28 교과도형_P3

2. 알맞은 말에 ○표 하고, 빈칸에 알맞은 말을 써넣으세요.

나무 깃발 빌딩 가로등

깃발은 가로등보다 더 (높습니다 , 낮습니다).

빌딩은 나무보다 더 (높습니다, 낮습니다).

가장 높은 것은 빌딩 입니다.

가장 낮은 것은 깃발 입니다.

2주_높이 비교 29

30쪽

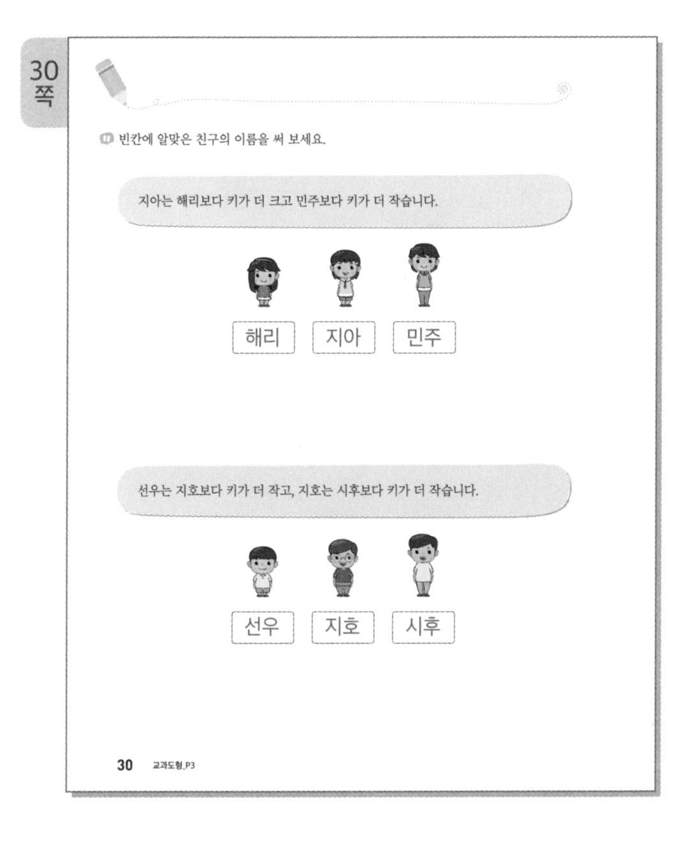

3. 빈칸에 알맞은 친구의 이름을 써 보세요.

지아는 해리보다 키가 더 크고 민주보다 키가 더 작습니다.

해리 지아 민주

선우는 지호보다 키가 더 작고, 지호는 시후보다 키가 더 작습니다.

선우 지호 시후

30 교과도형_P3

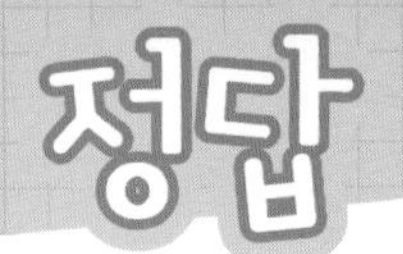

3주차 넓이 비교

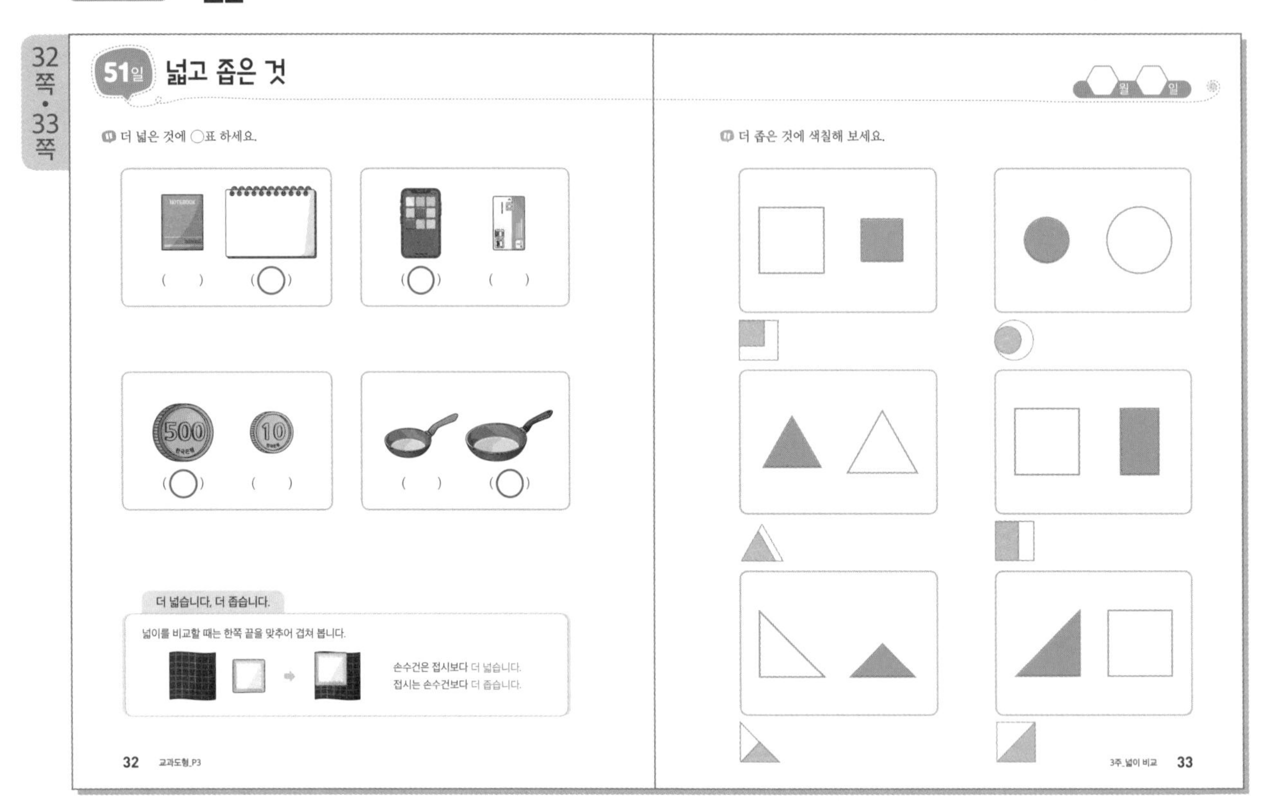
32쪽·33쪽
51일 넓고 좁은 것
월 일
더 넓은 것에 ○표 하세요.
더 좁은 것에 색칠해 보세요.
더 넓습니다, 더 좁습니다.
넓이를 비교할 때는 한쪽 끝을 맞추어 겹쳐 봅니다.
손수건은 접시보다 더 넓습니다.
접시는 손수건보다 더 좁습니다.
32 교과도형_P3
3주_넓이 비교 33

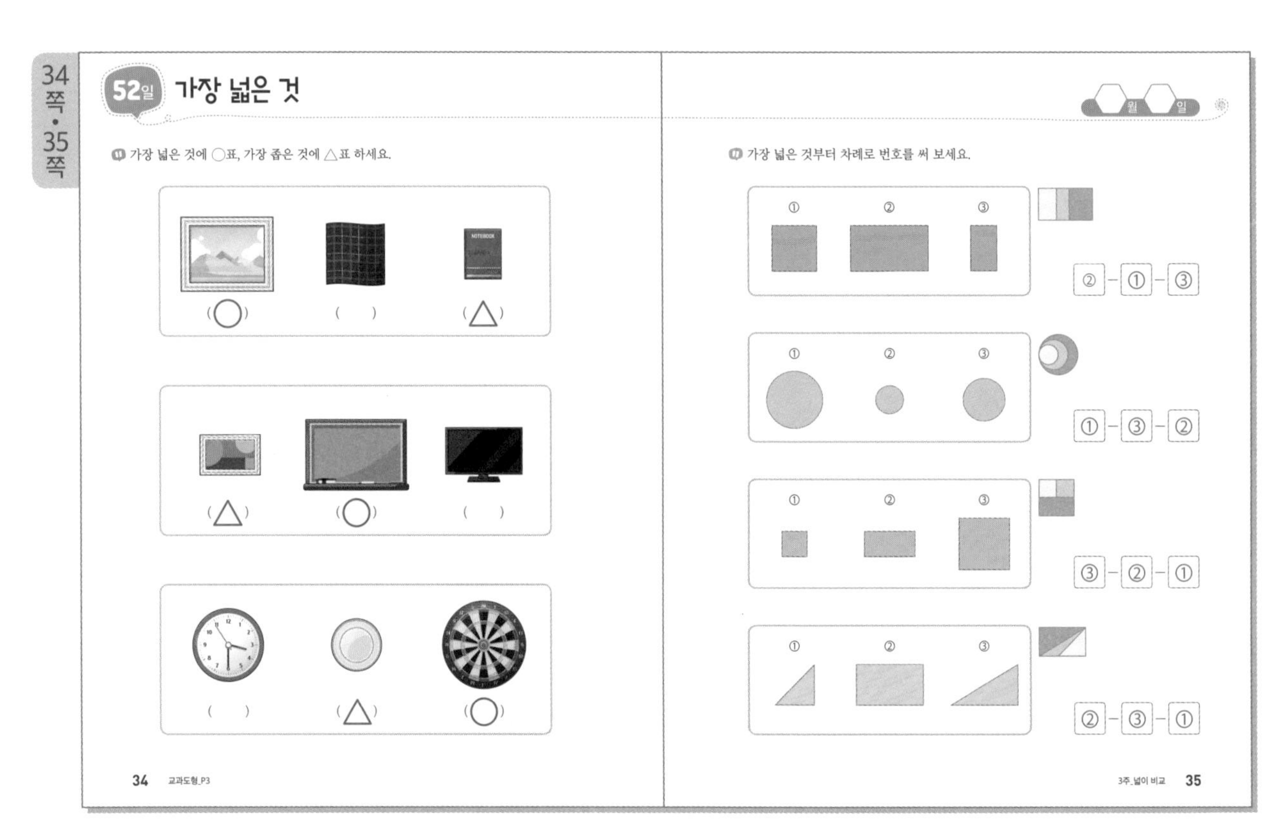
34쪽·35쪽
52일 가장 넓은 것
월 일
가장 넓은 것에 ○표, 가장 좁은 것에 △표 하세요.
가장 넓은 것부터 차례로 번호를 써 보세요.
②-①-③
①-③-②
③-②-①
②-③-①
34 교과도형_P3
3주_넓이 비교 35

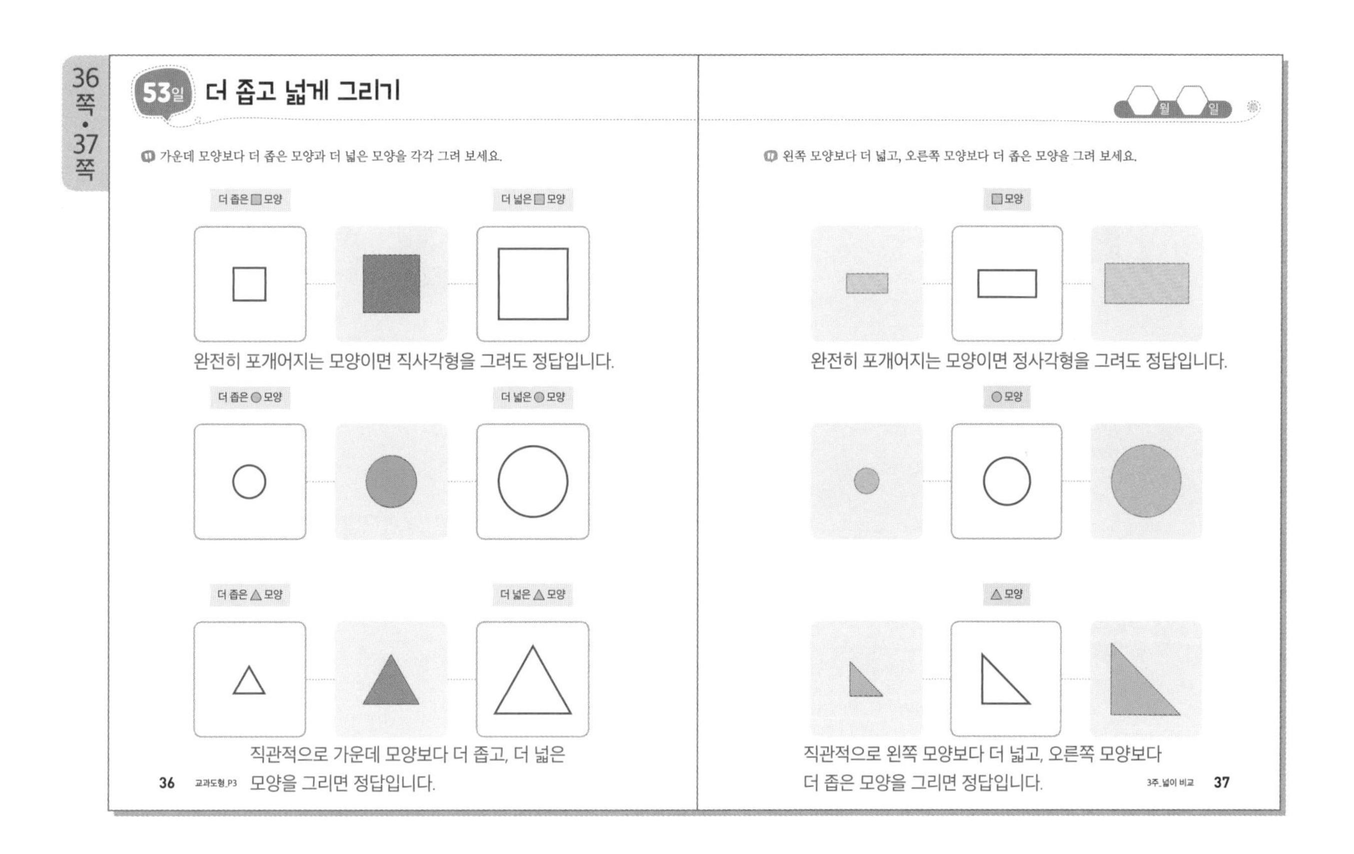
36쪽・37쪽
53일 더 좁고 넓게 그리기
월 일
가운데 모양보다 더 좁은 모양과 더 넓은 모양을 각각 그려 보세요.
더 좁은 모양
더 넓은 모양
완전히 포개어지는 모양이면 직사각형을 그려도 정답입니다.
직관적으로 가운데 모양보다 더 좁고, 더 넓은 모양을 그리면 정답입니다.
왼쪽 모양보다 더 넓고, 오른쪽 모양보다 더 좁은 모양을 그려 보세요.
모양
완전히 포개어지는 모양이면 정사각형을 그려도 정답입니다.
직관적으로 왼쪽 모양보다 더 넓고, 오른쪽 모양보다 더 좁은 모양을 그리면 정답입니다.
36 교과도형_P3
3주_넓이 비교 37

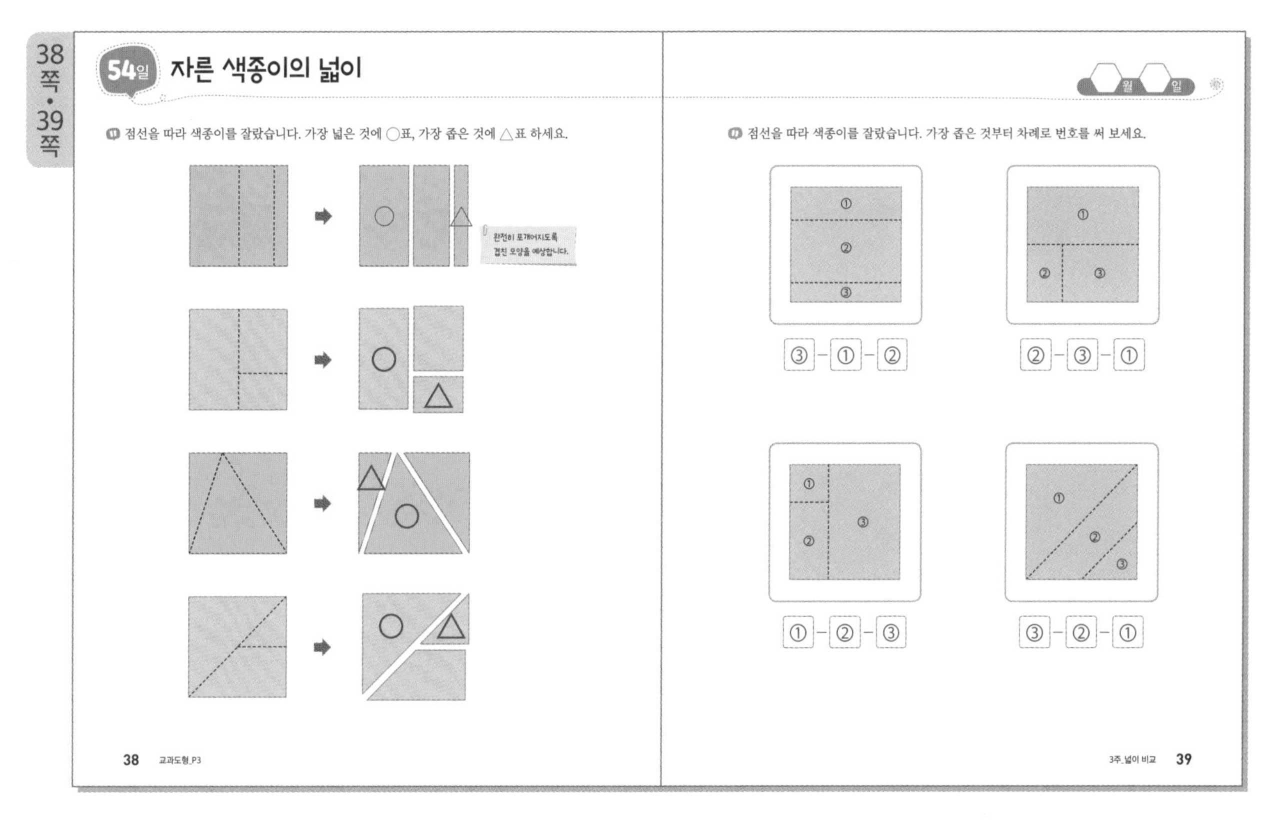
38쪽・39쪽
54일 자른 색종이의 넓이
월 일
점선을 따라 색종이를 잘랐습니다. 가장 넓은 것에 ○표, 가장 좁은 것에 △표 하세요.
완전히 포개어지도록 겹친 모양을 예상합니다.
점선을 따라 색종이를 잘랐습니다. 가장 좁은 것부터 차례로 번호를 써 보세요.
③-①-②
②-③-①
①-②-③
③-②-①
38 교과도형_P3
3주_넓이 비교 39

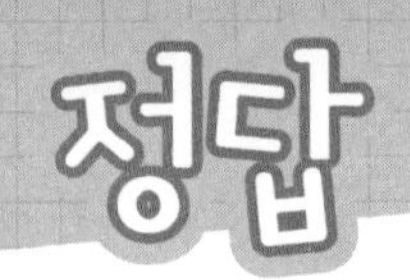

정답

40쪽·41쪽

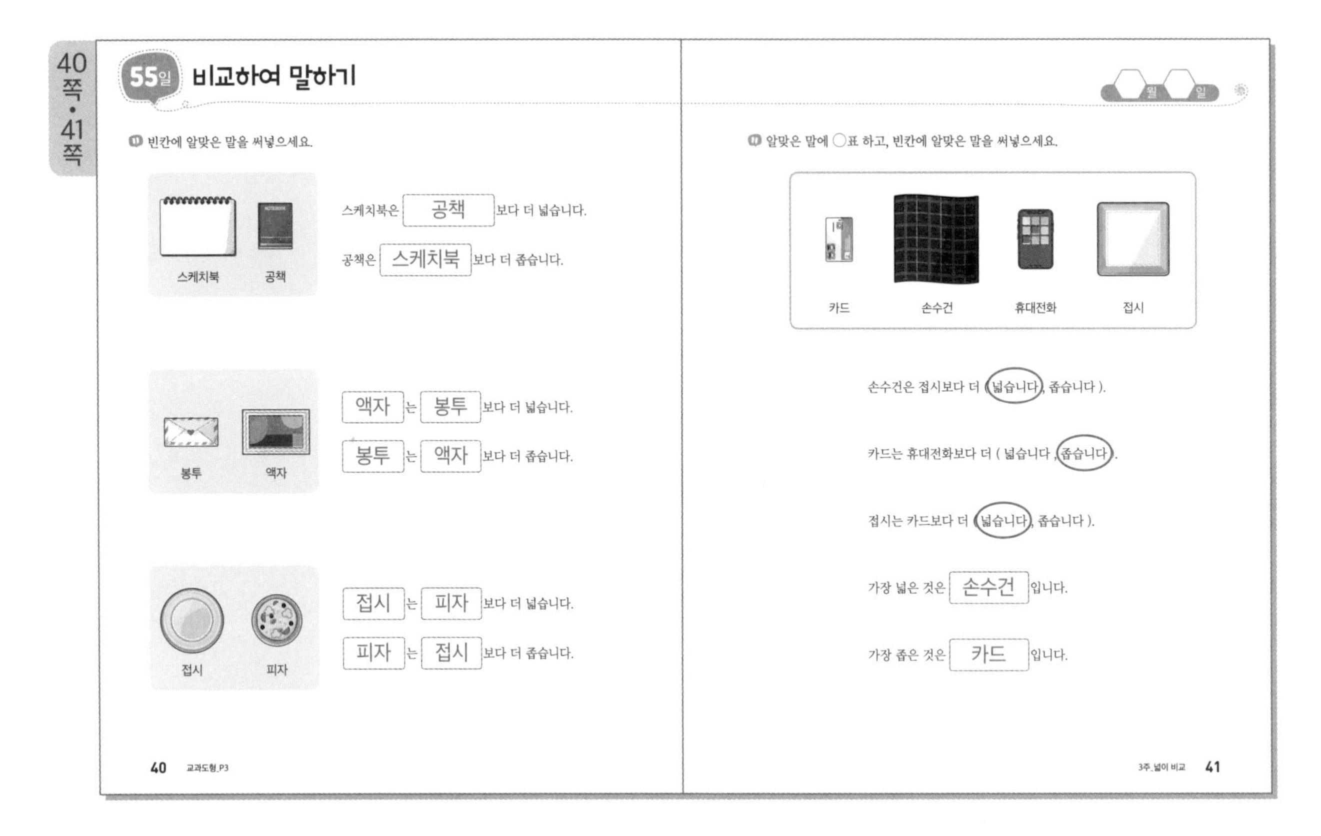

55일 비교하여 말하기
월 일
1 빈칸에 알맞은 말을 써넣으세요.
스케치북 공책
스케치북은 공책 보다 더 넓습니다.
공책은 스케치북 보다 더 좁습니다.
봉투 액자
액자 는 봉투 보다 더 넓습니다.
봉투 는 액자 보다 더 좁습니다.
접시 피자
접시 는 피자 보다 더 넓습니다.
피자 는 접시 보다 더 좁습니다.
2 알맞은 말에 ○표 하고, 빈칸에 알맞은 말을 써넣으세요.
카드 손수건 휴대전화 접시
손수건은 접시보다 더 (넓습니다, 좁습니다).
카드는 휴대전화보다 더 (넓습니다, 좁습니다).
접시는 카드보다 더 (넓습니다, 좁습니다).
가장 넓은 것은 손수건 입니다.
가장 좁은 것은 카드 입니다.
40 교과도형_P3
3주_넓이 비교 41

42쪽

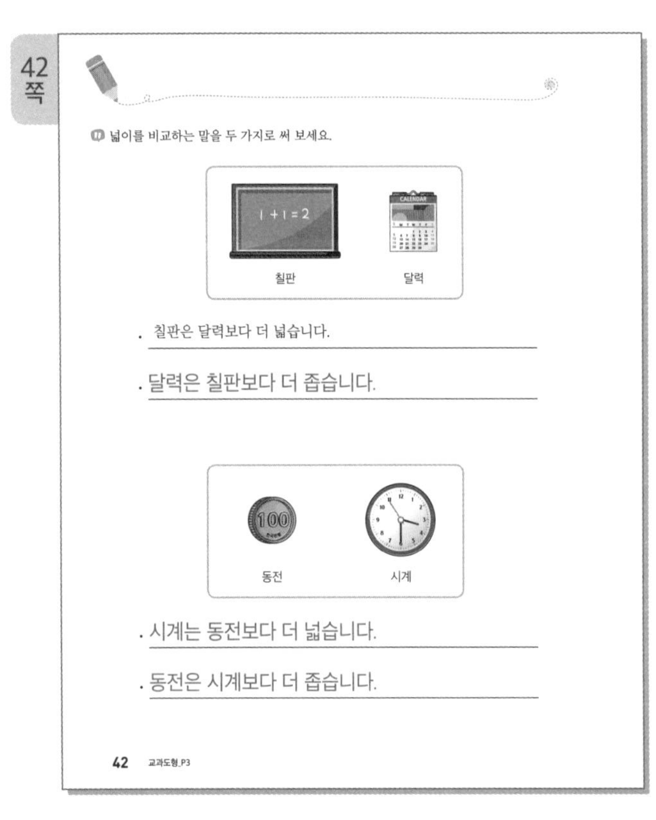

3 넓이를 비교하는 말을 두 가지로 써 보세요.
1 + 1 = 2
칠판 달력
. 칠판은 달력보다 더 넓습니다.
. 달력은 칠판보다 더 좁습니다.
100
동전 시계
. 시계는 동전보다 더 넓습니다.
. 동전은 시계보다 더 좁습니다.
42 교과도형_P3

4주차 들이 비교

44쪽·45쪽

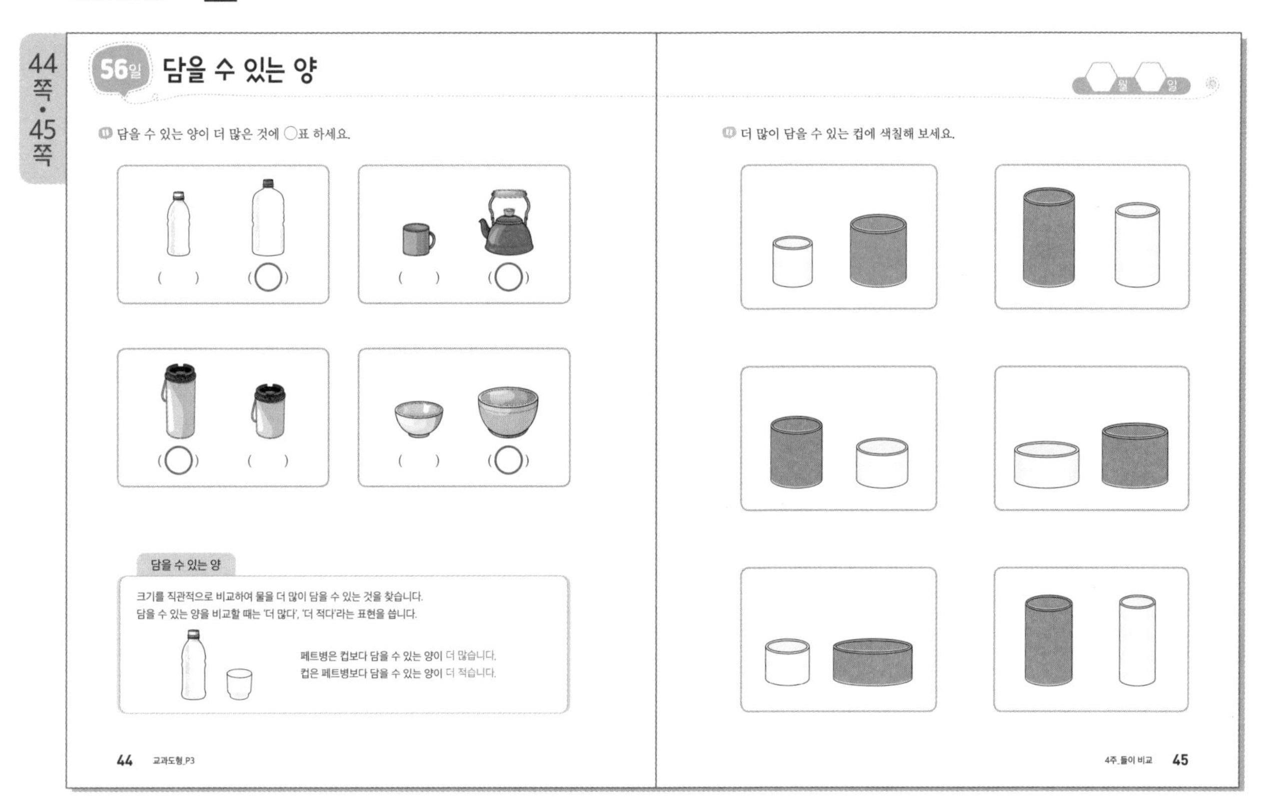

56일 담을 수 있는 양
1 담을 수 있는 양이 더 많은 것에 ○표 하세요.
담을 수 있는 양
크기를 직관적으로 비교하여 물을 더 많이 담을 수 있는 것을 찾습니다.
담을 수 있는 양을 비교할 때는 '더 많다', '더 적다'라는 표현을 씁니다.
페트병은 컵보다 담을 수 있는 양이 더 많습니다.
컵은 페트병보다 담을 수 있는 양이 더 적습니다.
2 더 많이 담을 수 있는 컵에 색칠해 보세요.
44 교과도형_P3
4주_들이 비교 45

46쪽·47쪽

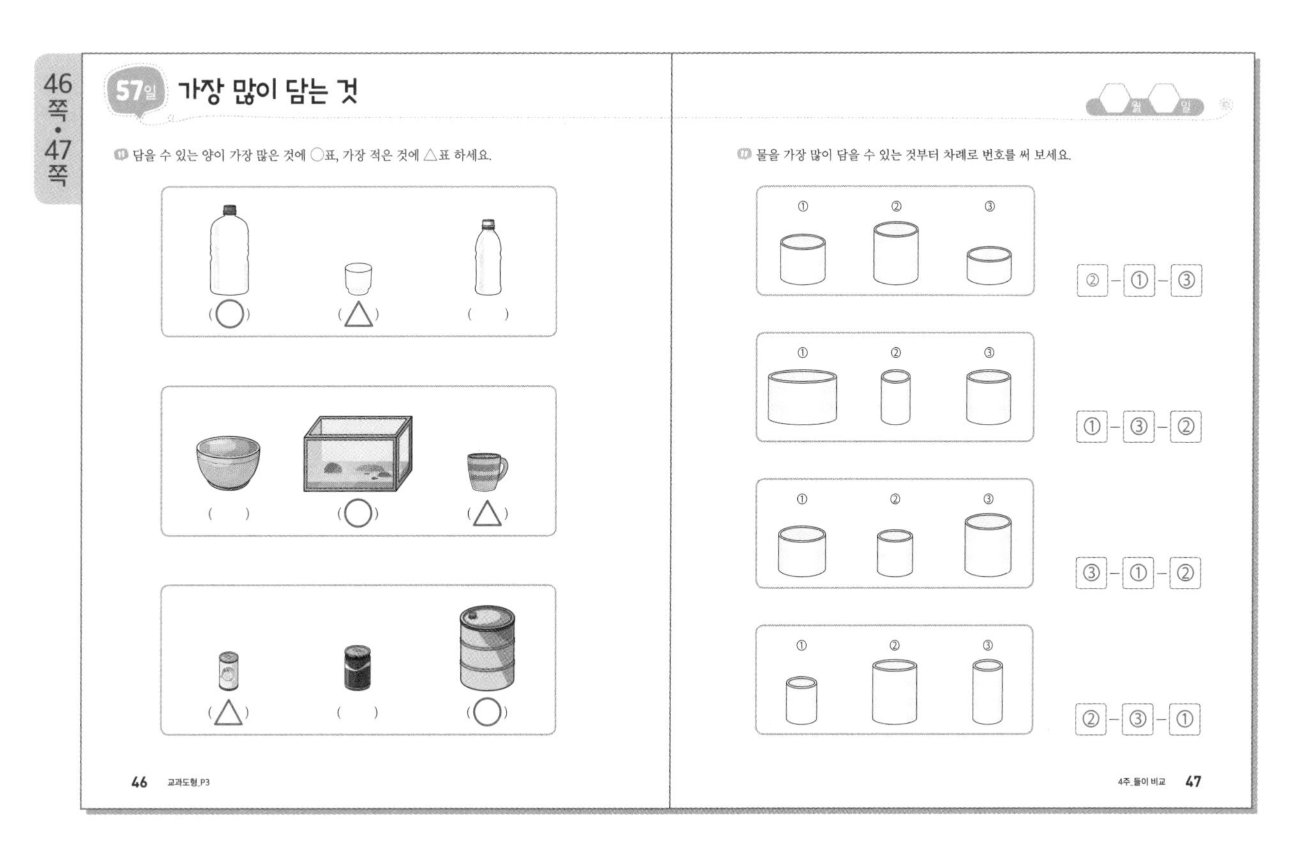

57일 가장 많이 담는 것
1 담을 수 있는 양이 가장 많은 것에 ○표, 가장 적은 것에 △표 하세요.
2 물을 가장 많이 담을 수 있는 것부터 차례로 번호를 써 보세요.
②-①-③
①-③-②
③-①-②
②-③-①
46 교과도형_P3
4주_들이 비교 47

48쪽·49쪽

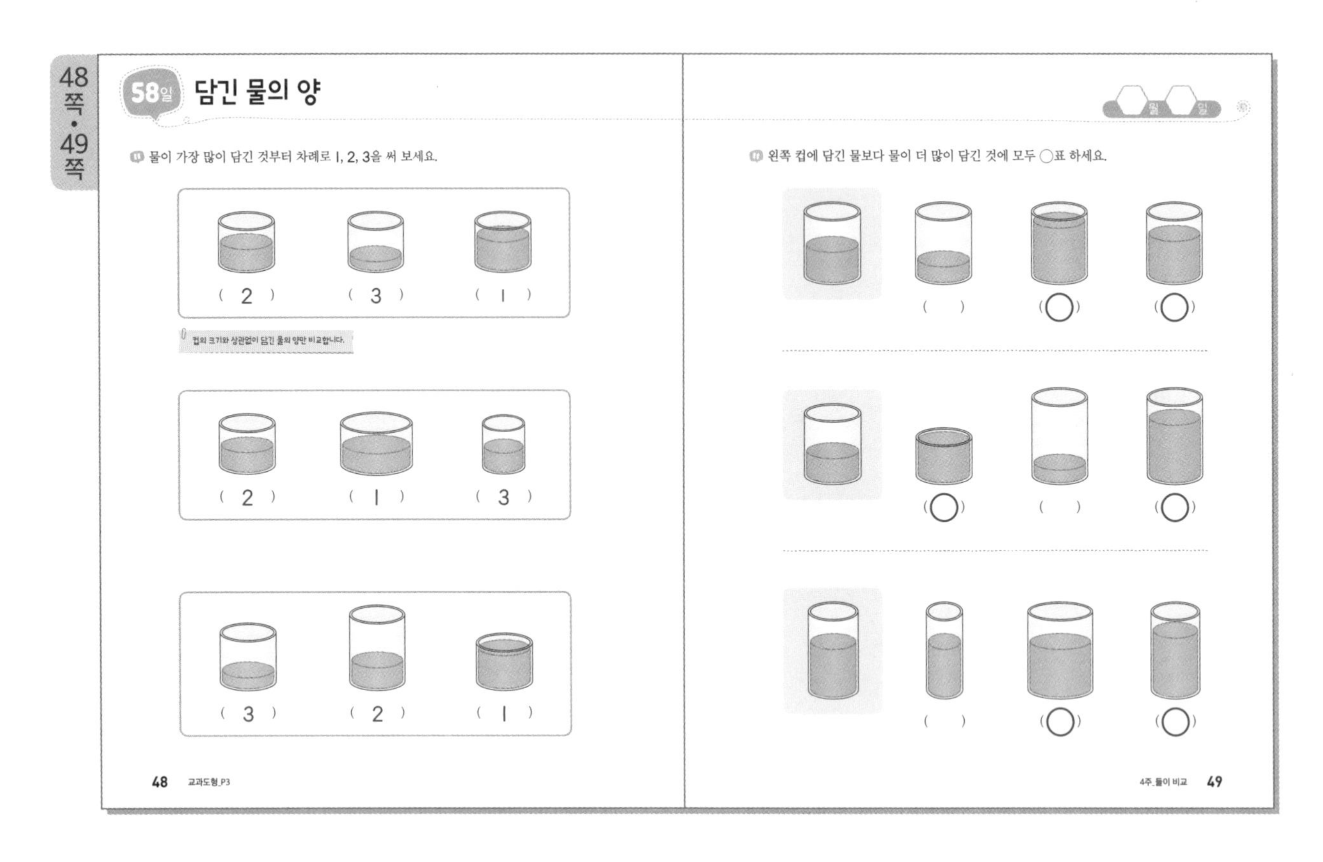
58일 담긴 물의 양

물이 가장 많이 담긴 것부터 차례로 1, 2, 3을 써 보세요.

(2) (3) (1)

컵의 크기와 상관없이 담긴 물의 양만 비교합니다.

(2) (1) (3)

(3) (2) (1)

48 교과도형_P3

월 일

왼쪽 컵에 담긴 물보다 물이 더 많이 담긴 것에 모두 ◯표 하세요.

( ) (◯) (◯)

(◯) ( ) (◯)

( ) (◯) (◯)

4주_들이 비교 49

50쪽·51쪽

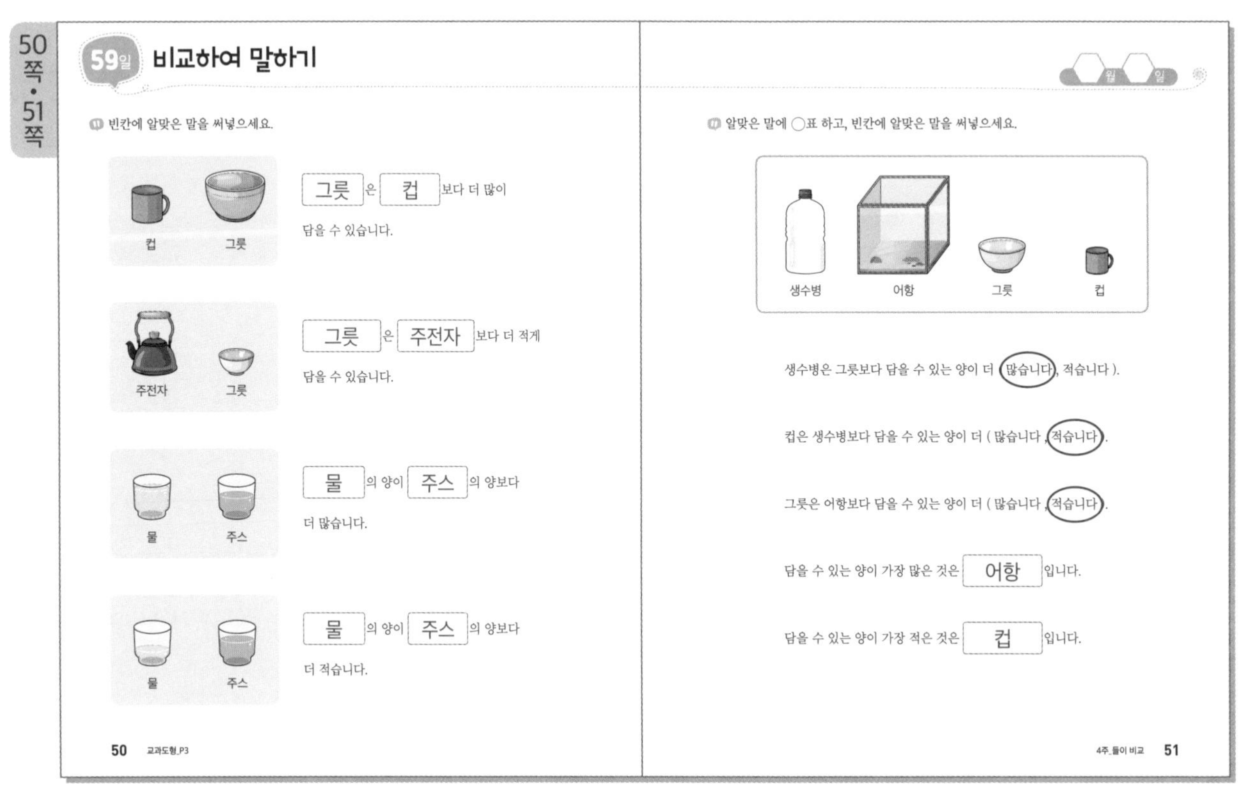
59일 비교하여 말하기

빈칸에 알맞은 말을 써넣으세요.

그릇 은 컵 보다 더 많이 담을 수 있습니다.

그릇 은 주전자 보다 더 적게 담을 수 있습니다.

물 의 양이 주스 의 양보다 더 많습니다.

물 의 양이 주스 의 양보다 더 적습니다.

50 교과도형_P3

월 일

알맞은 말에 ◯표 하고, 빈칸에 알맞은 말을 써넣으세요.

생수병은 그릇보다 담을 수 있는 양이 더 (많습니다, 적습니다). — 많습니다에 ◯

컵은 생수병보다 담을 수 있는 양이 더 (많습니다, 적습니다). — 적습니다에 ◯

그릇은 어항보다 담을 수 있는 양이 더 (많습니다, 적습니다). — 적습니다에 ◯

담을 수 있는 양이 가장 많은 것은 어항 입니다.

담을 수 있는 양이 가장 적은 것은 컵 입니다.

4주_들이 비교 51

52쪽·53쪽

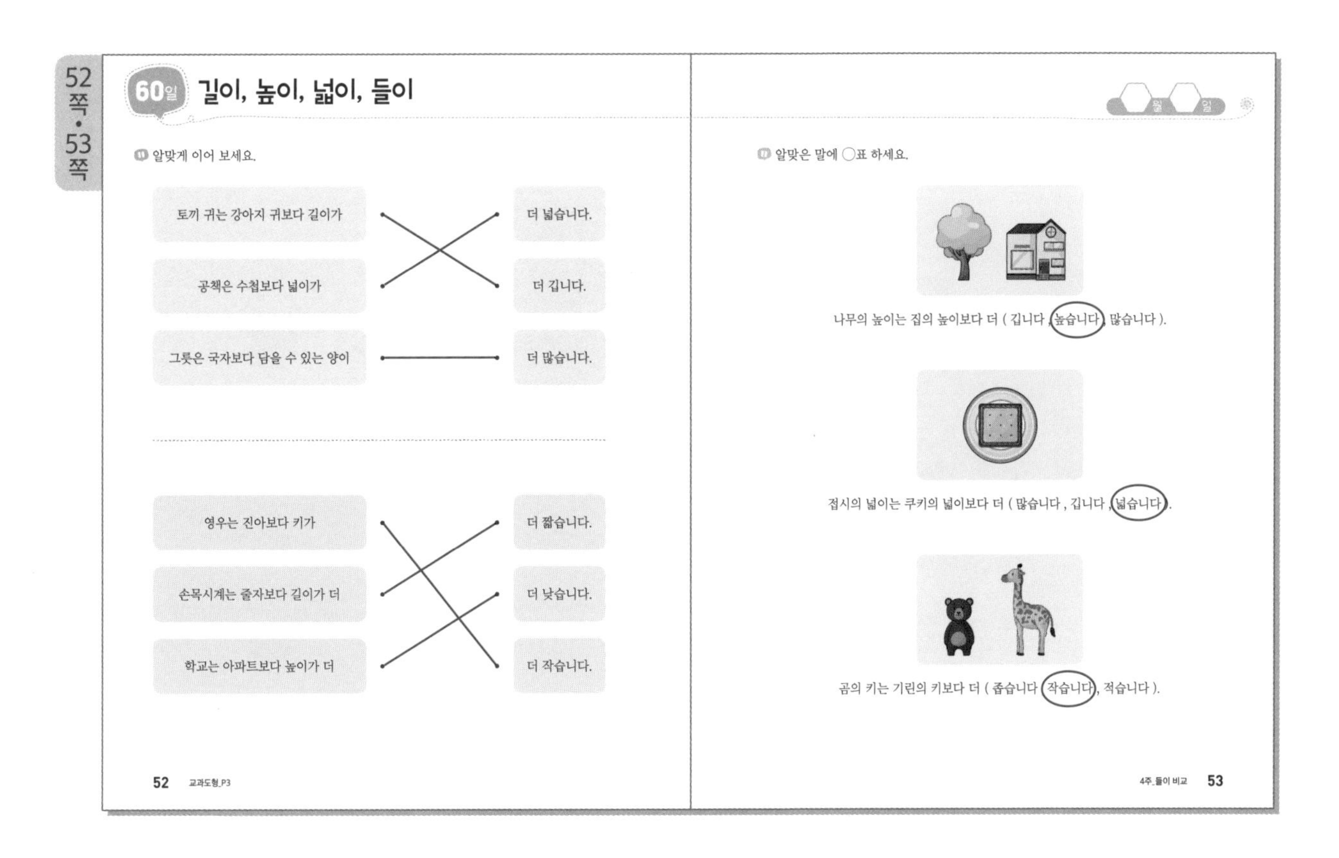

60일 길이, 높이, 넓이, 들이

11 알맞게 이어 보세요.

- 토끼 귀는 강아지 귀보다 길이가 — 더 깁니다.
- 공책은 수첩보다 넓이가 — 더 넓습니다.
- 그릇은 국자보다 담을 수 있는 양이 — 더 많습니다.

- 영우는 진아보다 키가 — 더 작습니다.
- 손목시계는 줄자보다 길이가 더 — 짧습니다.
- 학교는 아파트보다 높이가 더 — 낮습니다.

52 교과도형_P3

12 알맞은 말에 ○표 하세요.

나무의 높이는 집의 높이보다 더 (깁니다 , (높습니다) , 많습니다).

접시의 넓이는 쿠키의 넓이보다 더 (많습니다 , 깁니다 , (넓습니다)).

곰의 키는 기린의 키보다 더 (좁습니다 , (작습니다) , 적습니다).

4주_들이 비교 53

54쪽

13 주어진 말 중에서 알맞은 말을 골라 빈칸에 써넣으세요.

깁니다	많습니다	높습니다	큽니다	넓습니다
작습니다	짧습니다	적습니다	좁습니다	낮습니다

휴대전화 공책

휴대전화는 공책보다 넓이가 더 [좁습니다].

선우 지유

선우는 지유보다 키가 더 [큽니다].

컵 주전자

컵은 주전자보다 담을 수 있는 양이 더 [적습니다].

54 교과도형_P3

도형플러스+ 물 담기

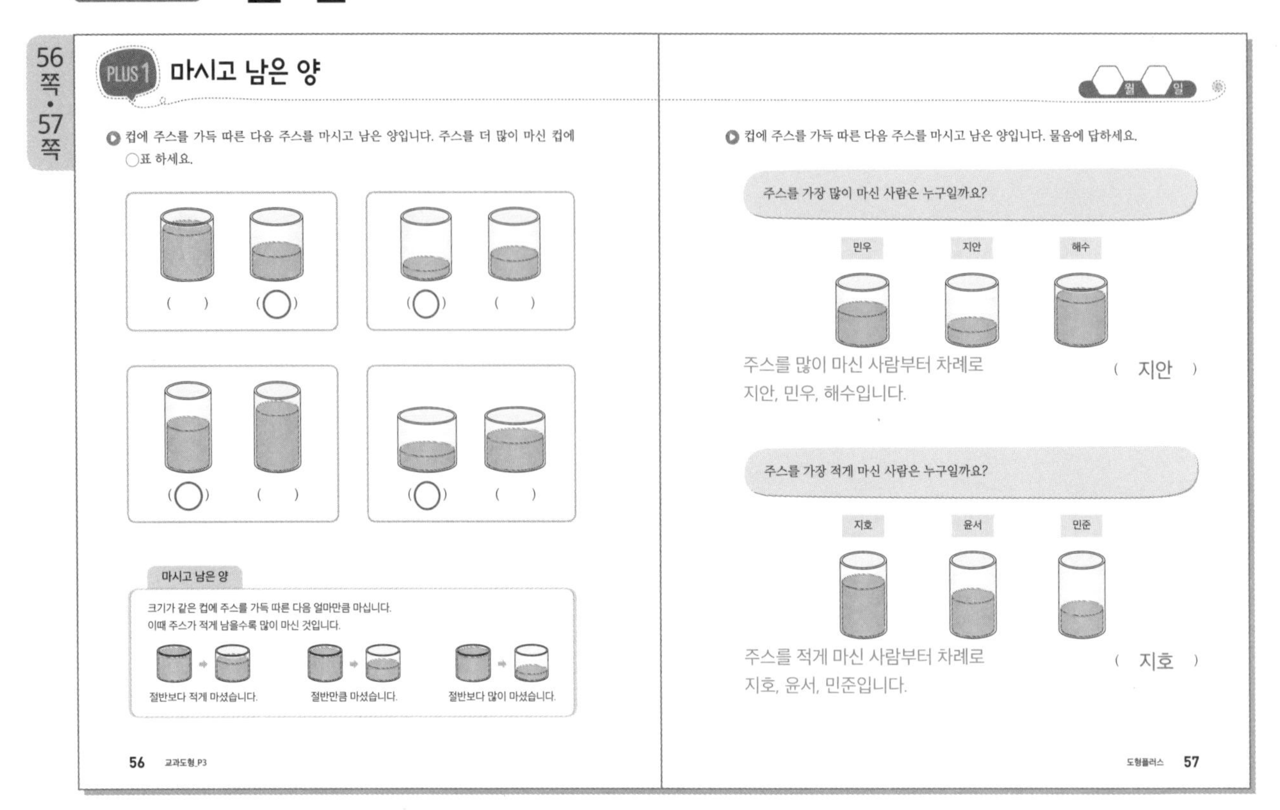

56쪽 · 57쪽

PLUS 1 마시고 남은 양

◎ 컵에 주스를 가득 따른 다음 주스를 마시고 남은 양입니다. 주스를 더 많이 마신 컵에 ○표 하세요.

( ) (◯) / (◯) ( )

(◯) ( ) / (◯) ( )

마시고 남은 양

크기가 같은 컵에 주스를 가득 따른 다음 얼마만큼 마십니다.
이때 주스가 적게 남을수록 많이 마신 것입니다.

절반보다 적게 마셨습니다. 절반만큼 마셨습니다. 절반보다 많이 마셨습니다.

56 교과도형_P3

월 일

◎ 컵에 주스를 가득 따른 다음 주스를 마시고 남은 양입니다. 물음에 답하세요.

주스를 가장 많이 마신 사람은 누구일까요?

민우 지안 해수

주스를 많이 마신 사람부터 차례로 지안, 민우, 해수입니다. (지안)

주스를 가장 적게 마신 사람은 누구일까요?

지호 윤서 민준

주스를 적게 마신 사람부터 차례로 지호, 윤서, 민준입니다. (지호)

도형플러스 57

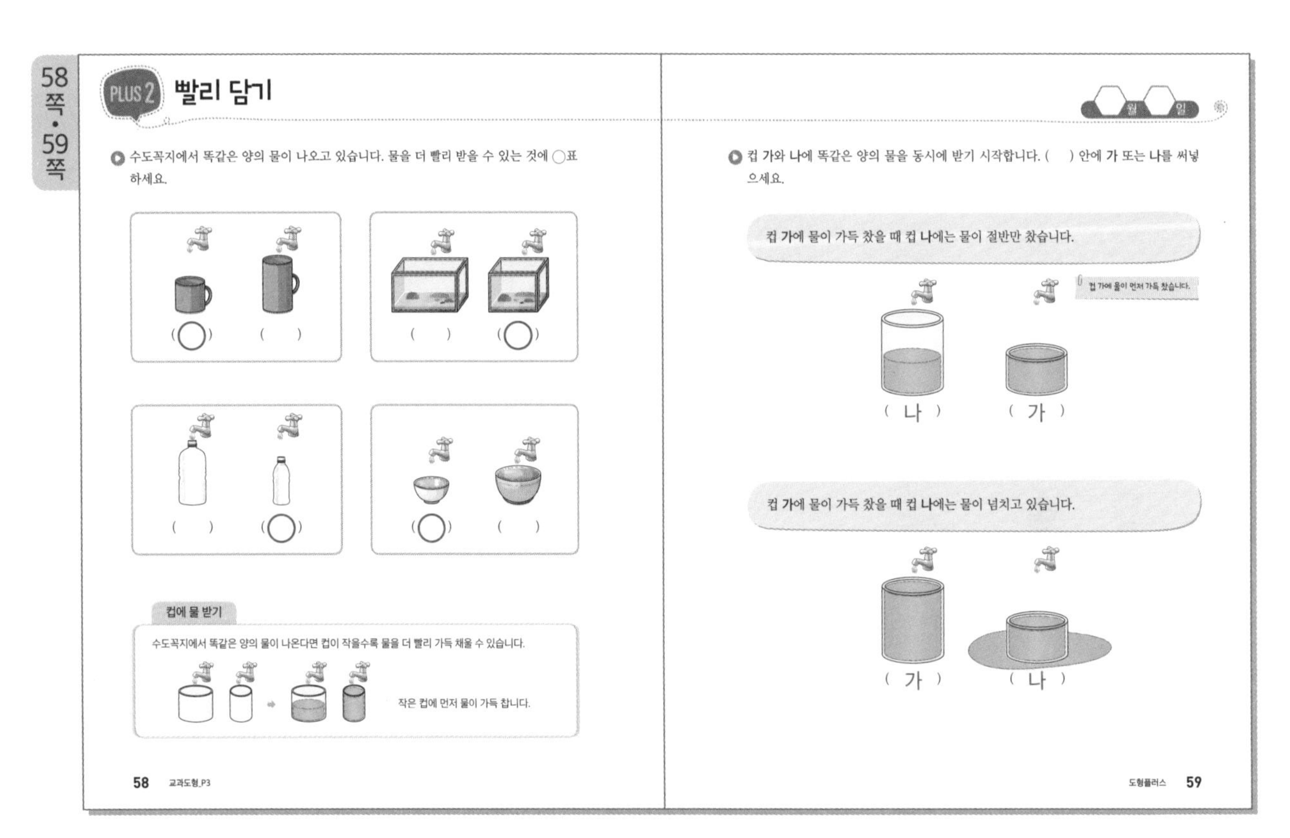

58쪽 · 59쪽

PLUS 2 빨리 담기

◎ 수도꼭지에서 똑같은 양의 물이 나오고 있습니다. 물을 더 빨리 받을 수 있는 것에 ○표 하세요.

(◯) ( ) / ( ) (◯)

( ) (◯) / (◯) ( )

컵에 물 받기

수도꼭지에서 똑같은 양의 물이 나온다면 컵이 작을수록 물을 더 빨리 가득 채울 수 있습니다.

작은 컵에 먼저 물이 가득 찹니다.

58 교과도형_P3

월 일

◎ 컵 가와 나에 똑같은 양의 물을 동시에 받기 시작합니다. ( ) 안에 가 또는 나를 써넣으세요.

컵 가에 물이 가득 찼을 때 컵 나에는 물이 절반만 찼습니다.

컵 가에 물이 먼저 가득 찼습니다.

(나) (가)

컵 가에 물이 가득 찼을 때 컵 나에는 물이 넘치고 있습니다.

(가) (나)

도형플러스 59

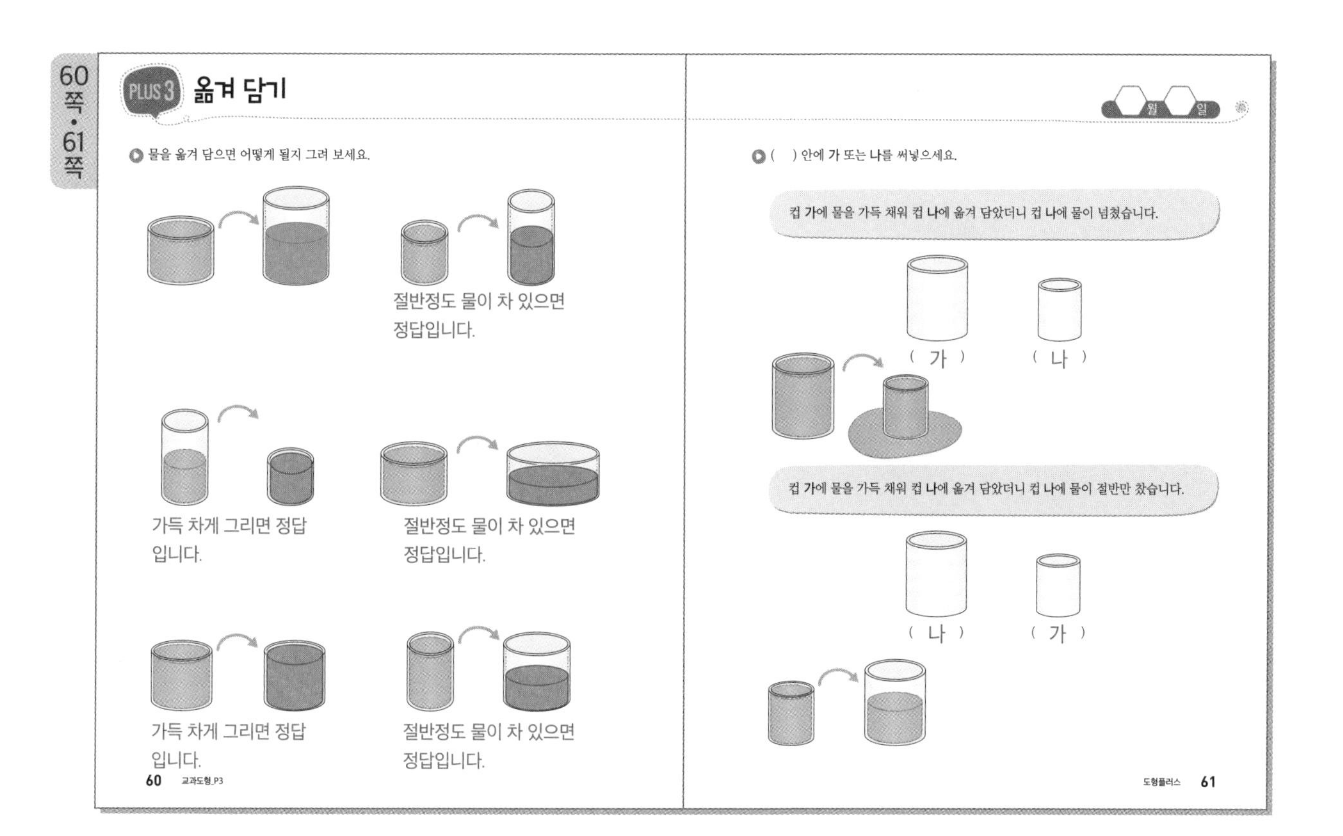
PLUS 3 옮겨 담기
물을 옮겨 담으면 어떻게 될지 그려 보세요.
절반정도 물이 차 있으면 정답입니다.
가득 차게 그리면 정답입니다.
절반정도 물이 차 있으면 정답입니다.
가득 차게 그리면 정답입니다.
절반정도 물이 차 있으면 정답입니다.
60 교과도형_P3
월 일
( ) 안에 가 또는 나를 써넣으세요.
컵 가에 물을 가득 채워 컵 나에 옮겨 담았더니 컵 나에 물이 넘쳤습니다.
(가)
(나)
컵 가에 물을 가득 채워 컵 나에 옮겨 담았더니 컵 나에 물이 절반만 찼습니다.
(나)
(가)
도형플러스 61

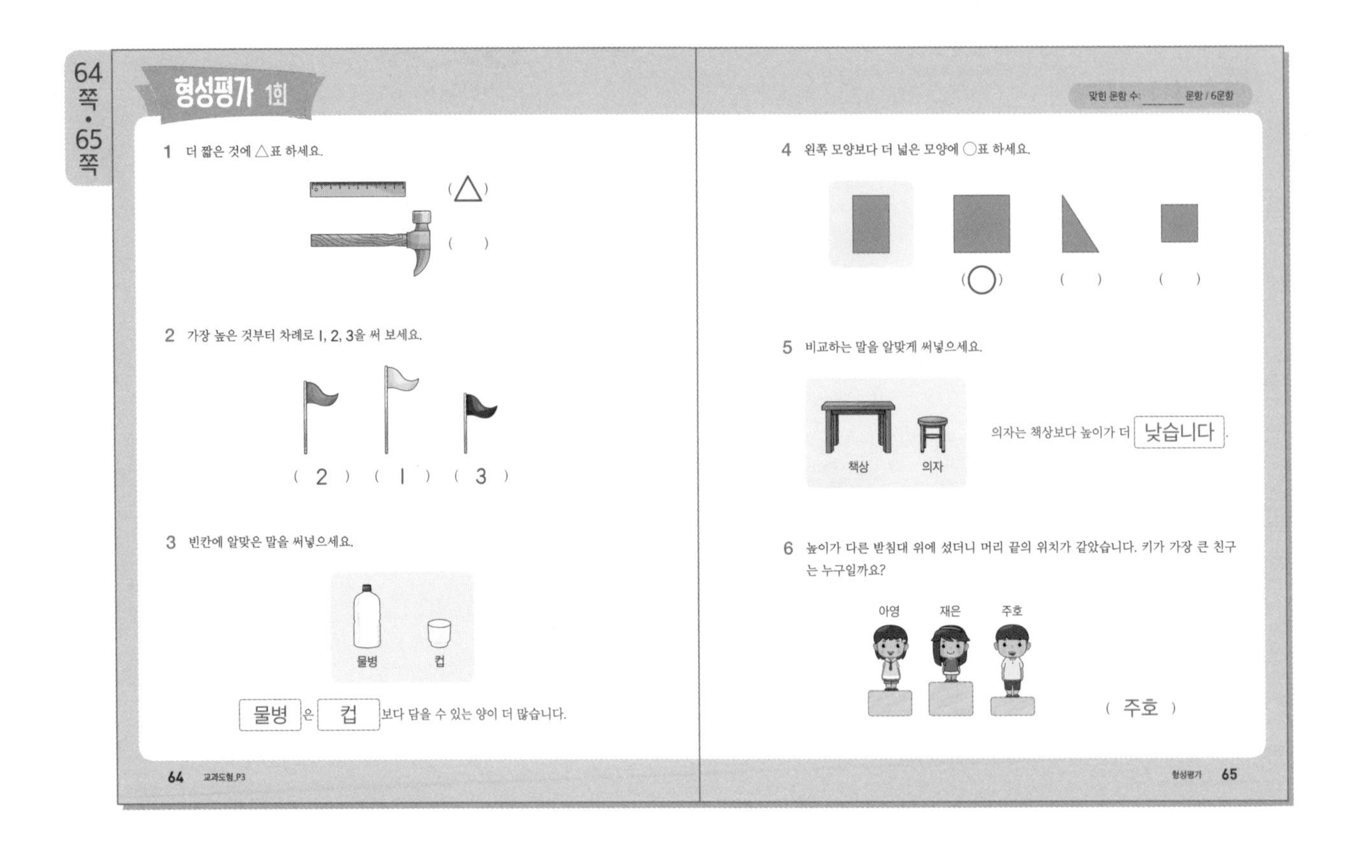

64쪽 · 65쪽

형성평가 1회

맞힌 문항 수: ____ 문항 / 6문항

1 더 짧은 것에 △표 하세요.

(△)
( )

2 가장 높은 것부터 차례로 1, 2, 3을 써 보세요.

(2) (1) (3)

3 빈칸에 알맞은 말을 써넣으세요.

물병 컵

물병 은 컵 보다 담을 수 있는 양이 더 많습니다.

4 왼쪽 모양보다 더 넓은 모양에 ○표 하세요.

(○) ( ) ( )

5 비교하는 말을 알맞게 써넣으세요.

책상 의자

의자는 책상보다 높이가 더 낮습니다.

6 높이가 다른 받침대 위에 섰더니 머리 끝의 위치가 같았습니다. 키가 가장 큰 친구는 누구일까요?

아영 재은 주호

(주호)

64 교과도형_P3 형성평가 65

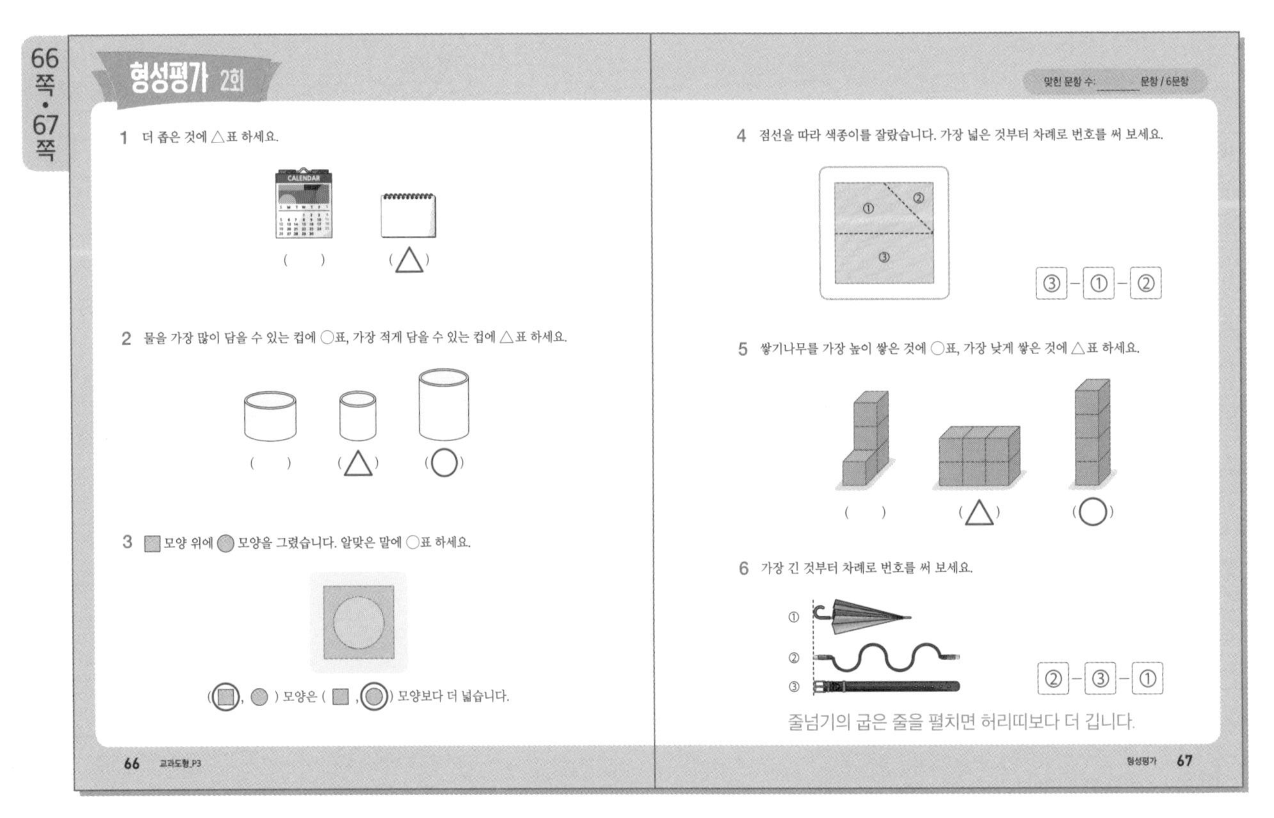

66쪽 · 67쪽

형성평가 2회

맞힌 문항 수: ____ 문항 / 6문항

1 더 좁은 것에 △표 하세요.

( ) (△)

2 물을 가장 많이 담을 수 있는 컵에 ○표, 가장 적게 담을 수 있는 컵에 △표 하세요.

( ) (△) (○)

3 ■ 모양 위에 ● 모양을 그렸습니다. 알맞은 말에 ○표 하세요.

(■, ●) 모양은 (■, ●) 모양보다 더 넓습니다.

4 점선을 따라 색종이를 잘랐습니다. 가장 넓은 것부터 차례로 번호를 써 보세요.

③ - ① - ②

5 쌓기나무를 가장 높이 쌓은 것에 ○표, 가장 낮게 쌓은 것에 △표 하세요.

( ) (△) (○)

6 가장 긴 것부터 차례로 번호를 써 보세요.

②-③-①

줄넘기의 굽은 줄을 펼치면 허리띠보다 더 깁니다.

66 교과도형_P3 형성평가 67

하루 한 장 60일 집중 완성 교과도형

"한 권이면 충분합니다."

도형을 다양한 문장과 그림,
수식으로 표현합니다.

감각
sense

도형 학습의 바탕이 되는
공간감각을 길러줍니다.

표현
expression

측정
measurement

측정을 더하여
도형 학습을 완성합니다.